Du même auteur

Construire des cabanes d'oiseaux, Les Éditions de l'Homme, 1986.
Nourrir nos oiseaux toute l'année, Les Éditions de l'Homme, 1989.
Nos oiseaux en péril, pouvons-nous encore les sauver?, Les Éditions de l'Homme, 1992.
Guide des oiseaux saison par saison, Les Éditions de l'Homme, 1995.
Attirer les oiseaux, les loger, les nourrir, Le Jour, éditeur, 1996.

BRICOLER

POUR LES

OISEAUX

Données de catalogage avant publication (Canada)

Dion, France
 Bricoler pour les oiseaux

  1. Oiseaux, Attraction des – Appareils et matériel – Conception et construction.
2. Nichoirs d'oiseaux – Conception et construction. 3. Mangeoires d'oiseaux –
Conception et construction. 4. Bains d'oiseaux – Conception et construction.
I. Dion, André P. II. Titre.

QL676.5.D57 2000 690'.8927 C99-941888-2

L'Éditeur bénéficie du soutien de la Société de développement des entreprises culturelles du Québec pour son
programme d'édition.

Nous remercions le Conseil des Arts du Canada de l'aide accordée à notre programme de publication.

Nous reconnaissons l'aide financière du gouvernement du Canada par l'entremise du Programme d'aide au
développement de l'industrie de l'édition (PADIÉ) pour nos activités d'édition.

DISTRIBUTEURS EXCLUSIFS :

• Pour le Canada
 et les États-Unis :
 MESSAGERIES ADP*
 955, rue Amherst,
 Montréal, Québec
 H2L 3K4
 Tél. : (514) 523-1182
 Télécopieur : (514) 939-0406
 * Filiale de Sogides ltée

• Pour la France et les autres pays :
 HAVAS SERVICES
 Immeuble Paryseine, 3, Allée de la Seine
 94854 Ivry Cedex
 Tél. : 01 49 59 11 89/91
 Télécopieur : 01 49 59 11 96
 Commandes : Tél. : 02 38 32 71 00
   Télécopieur : 02 38 32 71 28

• Pour la Suisse :
 DIFFUSION : HAVAS SERVICES SUISSE
 Case postale 69 - 1701 Fribourg - Suisse
 Tél. : (41-26) 460-80-60
 Télécopieur : (41-26) 460-80-68
 Internet : www.havas.ch
 Email : office@havas.ch
 DISTRIBUTION : OLF SA
 Z.I. 3, Corminbœuf
 Case postale 1061
 CH-1701 FRIBOURG
 Commandes : Tél. : (41-26) 467-53-33
   Télécopieur : (41-26) 467-54-66

• Pour la Belgique et
 le Luxembourg :
 PRESSES DE BELGIQUE S.A.
 Boulevard de l'Europe 117
 B-1301 Wavre
 Tél. : (010) 42-03-20
 Télécopieur : (010) 41-20-24

Pour en savoir davantage sur nos publications,
visitez notre site : **www.edhomme.com**
Autres sites à visiter : www.edjour.com • www.edtypo.com
• www.edvlb.com • www.edhexagone.com • www.edutilis.com

Dépôt légal : 1er trimestre 2000
Bibliothèque nationale du Québec

ISBN 2-7619-1532-1

FRANCE ET ANDRÉ DION

BRIC⬤LER
POUR LES
OISEAUX

Photographies : Paul Favreau

LES ÉDITIONS DE
L'HOMME

À l'heure où tant de jeunes vieux apprivoisent la retraite, France et André Dion ont pour leur part décidé de prolonger leur jeunesse. On l'a vue, elle, en un seul jour, assembler et clouer 48 cabanes d'oiseaux destinées à une piste de merlebleus. C'est France aussi qui a dactylographié les manuscrits d'André, illisibles pour tant d'autres. Depuis le début, elle a été la première auditrice, la première critique, la première correctrice d'épreuves. Elle est encore et toujours celle qui prévoit le nécessaire quand ils partent en exploration.

Lui, c'est le rêveur qui veut rebâtir le Parthénon pour nourrir les plus petits de ses amis en les protégeant contre les méchants oiseaux noirs. Parmi ses châteaux en Espagne figure la demeure seigneuriale conçue par Taverner pour héberger leurs chères « pourprées ».

Ensemble, France et André se sont consacrés à rajeunir le livre *Construire des cabanes d'oiseaux* paru il y a plus de quinze ans. France Dion a participé à cette réédition comme elle l'a fait pour les précédents ouvrages.

À notre éditeur, M. Pierre Lespérance,
qui nous a donné notre première chance

Remerciements

Merci à tous nos collaborateurs :

Paul Favreau, pour ses magnifiques photos ;

Armand Trottier, photographe au journal *La Presse,* pour sa photo du nichoir dans la fenêtre ;

France Dion, pour sa photo des cardinaux à la mangeoire rapproche-oiseaux ;

Bernard Lemay pour sa photo du troglodyte familier au nichoir ;

Robert Lapointe, pour la conception des plans ;

Gilles Houle, pour l'infographie des plans ;

Gaston Roy, pour la fabrication du prototype du Taverner ;

Léo Chartrand, pour la conception et la fabrication du prototype du parthénon ;

Michel Marseille, pour ses illustrations amusantes ;

Michelle Paquet-Rivière pour sa collaboration spéciale ;

Jacques Laurin, éditeur, grâce à qui ce livre a vu le jour.

Merci aussi à toux ceux qui ont participé à la conception des prototypes : Lionel Maillé, Benoît Farley, Bernard Lemay, Léon Dépatie, Roger Champagne, René Lepage, François Ayotte, Réjean Naud, Réjean Gingras.

Avant-propos

En 1986, au moment de la publication de la première édition de cet ouvrage, l'engouement pour les oiseaux était palpable. Près de quinze ans plus tard, il ne s'est pas démenti, bien au contraire. Nous avons perçu chez nombre de nos lecteurs un intérêt de plus en plus grand pour l'ornithologie et la préservation de l'environnement. L'amateur d'oiseaux se passionne davantage et les oiseaux, en plus de devenir ses commensaux, font partie de l'esthétique de sa vie quotidienne. Préserver les espèces devient sa mission et il se considère comme un apôtre de la conservation.

Grâce à cet ouvrage, il pourra passer de merveilleux moments à bricoler et à contribuer ainsi à protéger les oiseaux. Ce sera son héritage pour les générations futures.

Note

Pour alléger la présentation des plans, nous avons choisi d'écrire les mesures dans le système impérial, soit le système le plus couramment utilisé en menuiserie. Les lecteurs plus familiers avec le système métrique trouveront une table de conversion à la fin de l'ouvrage.

CHAPITRE PREMIER

Les cabanes d'oiseaux

IDENTIFICATION DE CERTAINES ESPÈCES

Pour le lecteur non initié à l'ornithologie, voici les caractéristiques des oiseaux mentionnés dans cet ouvrage. Afin d'attirer un invité de marque dans un nichoir, il est indispensable de pouvoir l'identifier et de connaître certaines de ses habitudes. Chaque description est accompagnée d'une illustration du mâle de l'espèce. Pour en savoir davantage sur ces oiseaux, nous vous conseillons de consulter nos ouvrages précédents.

La mésange à tête noire

Séjour au Québec: toute l'année avec période de nidification au printemps.

Lieu de nidification: à l'orée de la forêt, dans le trou d'un arbre mort ou dans un nichoir approprié.

Ponte: de 6 à 8 œufs.

Incubation: 13 jours.

Couleur du plumage adulte: tête et gorge noires, joues blanches; dos: gris; flancs: beige.

Espèce apparentée: mésange à tête brune.

Habitat et présence: assez commune dans les forêts mixtes du sud du Québec.

Aile[1]: 66 mm (2 ⅝ po).

---

1. Il s'agit de la longueur moyenne de l'aile du mâle.

La sittelle à poitrine blanche

Séjour au Québec : toute l'année avec période de nidification au printemps.

Lieu de nidification : en forêt, dans une cavité naturelle, dans le creux d'un arbre mort ou dans un nichoir approprié.

Ponte : de 6 à 9 œufs.

Incubation : 12 jours.

Couleur du plumage adulte : casquette noir de suie, cape gris bleuté sur des dessous immaculés.

Caractéristique : circule souvent tête en bas en se servant de sa queue comme balancier.

Espèce apparentée : sittelle à poitrine rousse.

Habitat et présence : assez commune dans les forêts mixtes du sud du Québec.

Aile : 90 mm (3 ½ po).

Le troglodyte familier

Séjour au Québec : de fin avril à septembre.

Lieu de nidification : parfois en forêt dans le creux d'un arbre, mais il affectionne surtout les lieux habités et les nichoirs fabriqués par l'homme.

Ponte : de 6 à 8 œufs.

Incubation : 13 jours.

Couleur du plumage adulte : dos : brun ; ventre : blanc cassé.

Caractéristique : queue souvent dressée à la verticale.

Espèce apparentée : troglodyte des marais.

Habitat et présence : le sud du Québec, mais sa présence est rare.

Aile : 52 mm (2 ⅛ po).

L'hirondelle bicolore

Séjour au Québec : de mi-avril à septembre.

Lieu de nidification : dans les milieux urbains et semi-urbains, de préférence à proximité d'une étendue d'eau. C'est une adepte des nichoirs fabriqués par l'homme.

Ponte : de 4 à 6 œufs.

Incubation : 14 jours.

Couleur du plumage adulte : dos : bleu-vert irisé ; ventre : blanc.

Espèce apparentée : hirondelle à front blanc.

Habitat et présence : très commune sur presque tout le territoire québécois sauf dans le Grand Nord.

Aile : 118 mm (4 ¾ po).

L'hirondelle noire (hirondelle pourprée)

Séjour au Québec : de fin avril au début septembre.

Lieu de nidification : dans les crevasses des falaises, dans les milieux urbains et semi-urbains, en colonie dans des nichoirs à logis multiples.

Ponte : de 4 à 5 œufs.

Incubation : 14 jours.

Couleur du plumage adulte : dos : bleu violacé irisé ; ventre : mâle : bleu violacé irisé ; femelle : gris-brun.

Espèce apparentée : aucune autre car c'est la plus grosse de sa famille.

Habitat et présence : assez commune dans le sud du Québec, mais elle n'a adopté que certaines régions.

Aile : 150 mm (6 po).

Le merlebleu à poitrine rouge

Séjour au Québec : de fin mars à septembre.

Lieu de nidification : dans les pâturages et les lieux à découvert, mais le plus souvent dans un arbre creux ou un nichoir approprié.

Ponte : de 4 à 6 œufs.

Incubation : 16 jours.

Couleur du plumage adulte : dos : bleu ciel ; ventre : roux.

Espèce apparentée : merlebleu de l'Ouest.

Habitat et présence : il est malheureusement plus rare à cause de la présence accrue du moineau et du sansonnet et de la disparition de ses nichoirs naturels.

Raison de plus pour lui construire des demeures pour l'accueillir !

Aile : 98 mm (4 po).

Le moucherolle phébi

Séjour au Québec : de mai à fin septembre.

Lieu de nidification : dans les territoires agricoles, souvent sous un pont.

Ponte : de 3 à 7 œufs.

Incubation : 16 jours.

Couleur du plumage adulte : dos : olive grisâtre ; ventre : olive grisâtre pâle ; tête et cou : brun noir.

Espèce apparentée : pioui de l'Est.

Habitat et présence : très présent surtout dans le sud-ouest du Québec.

Aile : 85 mm (3 ¼ po).

Le canard huppé (ou branchu)

Séjour au Québec : d'avril à septembre.

Lieu de nidification : au bord d'un cours d'eau ou d'un lac, à l'orée de la forêt, souvent dans un arbre creux mais aussi dans un nichoir approprié.

Ponte : de 6 à 8 œufs.

Incubation : 30 jours.

Couleur du plumage adulte : mâle en période nuptiale : multicolore. Il mue en fin d'été, mais reprend ses couleurs en fin d'automne. Femelle : beige et brun grisâtre.

Caractéristique : la femelle ressemble au mâle, mais ses couleurs sont plus éteintes ; elle a un cercle autour des yeux comme si elle portait des lunettes.

Habitat et présence : assez fréquent dans le sud du Québec.

Aile : 223 mm (9 po).

Le pic mineur

Séjour au Québec : habituellement toute l'année avec période de nidification au printemps.

Lieu de nidification : dans les troncs d'arbre, à la campagne ou dans les parcs urbains.

Ponte : de 3 à 8 œufs.

Incubation : 12 jours.

Couleur du plumage adulte : dos : noir et blanc (tache rouge sur la nuque du mâle) ; ventre : blanc.

Espèce apparentée : pic chevelu.

Habitat et présence : assez commun dans tout le Québec, sauf dans le Grand Nord, en forêt et dans les zones semi-urbaines.

Aile : 95 mm (3 ¾ po).

Le pic chevelu

Séjour au Québec : habituellement toute l'année avec période de nidification au printemps.

Lieu de nidification : dans les troncs d'arbre, à la campagne ou dans les parcs urbains.

Ponte : de 3 à 8 œufs.

Incubation : 12 jours.

Couleur du plumage adulte : dos : noir et blanc (tache rouge sur la nuque du mâle) ; ventre : blanc.

Espèce apparentée : pic mineur.

Caractéristique : il a le bec presque aussi long que la tête.

Habitat et présence : assez commun dans tout le Québec, sauf dans le Grand Nord, en forêt et dans les boisés denses.

Aile : 130 mm (5 ¼ po).

La tourterelle triste

Séjour au Québec : du début avril à fin septembre. Grâce aux mangeoires, certains spécimens y passent l'hiver.

Lieu de nidification : dans les régions habitées, généralement dans un arbre.

Ponte : 2 œufs.

Incubation : 15 jours.

Couleur du plumage adulte : brun pâle.

Espèce apparentée : c'est la seule espèce qui fréquente le Québec. Celles que l'on trouve parfois aux mangeoires sont des espèces domestiquées échappées de leur cage.

Habitat et présence : relativement fréquente, uniquement dans le sud-ouest du Québec.

Aile : 146 mm (5 ¾ po).

Le merle d'Amérique

Séjour au Québec : de fin mars à fin octobre. Il hiverne parfois dans les régions où les arbres à petits fruits sont abondants, au jardin botanique de Montréal par exemple.

Lieu de nidification : dans un environnement urbain ou semi-urbain, dans une fourche d'arbre, au bord d'une fenêtre ou sur une plate-forme érigée pour lui.

Ponte : 3 à 4 œufs.

Incubation : 14 jours.

Couleur du plumage adulte : dos gris brun ; ventre : roux.

Caractéristique : les profanes le surnomment la grive.

Habitat et présence : très commun dans tout le Québec, surtout en milieu urbain ou semi-urbain.

Aile : 130 mm (5 ¼ po).

Le moineau (un indésirable)

Séjour au Québec : toute l'année, depuis son importation due à une erreur humaine en 1850.

Lieu de nidification : les milieux urbains. Il pille les nids des autres espèces d'oiseaux.

Ponte : 2 ou 3 pontes de 5 à 6 œufs.

Incubation : 12 à 14 jours.

Couleur du plumage adulte : tons de brun et de beige.

Caractéristique : le mâle porte la bavette noire au temps des amours.

Habitat et présence : toutes les régions habitées du Québec.

Aile : 76 mm (3 po).

Séjour au Québec : toute l'année depuis son importation due à une erreur humaine en 1890.

Lieu de nidification : les milieux urbains et semi-urbains. Il pille les nids des autres espèces d'oiseaux.

Ponte : de 4 à 6 œufs.

Incubation : 11 à 14 jours.

Couleur du plumage adulte : noir.

Caractéristique : plumage noir moucheté de blanc, bec jaune qui noircit en hiver.

Espèce apparentée : le vacher (le mâle a la tête brune).

Habitat et présence : toutes les régions habitées du Québec.

Aile : 127 mm (5 po).

LES PLANS

France et moi avons sélectionné pour vous des plans de nichoirs, de mangeoires, de dortoirs et de baignoires qui expliquent étape par étape comment confectionner ces commodités pour oiseaux que nous expérimentons depuis près de vingt ans maintenant. Des amis et des collaborateurs y ont apporté beaucoup de modifications. Robert Lapointe, le concepteur, et Gilles Houle, l'infographiste, les ont simplifiés et rendus accessibles au débutant. Pas besoin d'être ingénieur ou menuisier ! Il suffit de vous rendre dans un magasin de matériaux de construction, de vous adresser à une personne compétente et de lui expliquer ce que vous voulez construire. Apporter le plan est fort utile.

La planche de pin est excellente pour toutes les constructions suggérées. Selon l'épaisseur du bois, l'employé vous suggérera la longueur et la grosseur des clous galvanisés ou à finir, des vis, en cuivre de préférence, à employer.

Procurez-vous de la colle et du vernis pour extérieur ou, si vous préférez peindre le bois, de la peinture à l'huile pour extérieur. Pour conserver l'aspect naturel du bois, achetez de l'huile de lin et appliquez-en deux bonnes couches. Laissez vieillir à l'extérieur pendant plusieurs jours.

Le temps venu de commencer la construction, étudiez attentivement vos plans détaillés. Chaque pièce est illustrée individuellement avec ses mesures. Préparez à l'avance tout ce dont vous avez besoin. En respectant l'ordre suggéré dans les étapes d'assemblage, vous simplifierez énormément votre travail. Nous ne parlons pas de coût de fabrication. Choisissez toujours le meilleur matériau disponible dans votre secteur.

Pour le Taverner, vous devez posséder les outils nécessaires pour le découpage de pièces de contreplaqué en feuilles de 1,2 m x 2,4 m (4 pi x 8 pi) en B.C. Fir de Colombie, traité pour usage extérieur. Cependant tous les nichoirs peuvent être faits en planche.

Peut-être le coût de certaines constructions vous semblera élevé, mais rien n'est trop beau pour la classe ouvrière… dont font partie les oiseaux.

LA CONSTRUCTION

Pour durer, un nichoir doit être bien construit, selon des normes bien précises. Voici les grandes lignes à suivre.

- Nous suggérons le bois naturel avec son écorce chaque fois que c'est possible, afin que l'habitacle se marie bien au décor. C'est aussi une façon d'harmoniser esthétique et écologie.

- L'habitation ne doit pas devenir une piscine pour les oisillons. Il faut donc prévoir l'égouttement, ce qui diminue les risques de pourriture du plancher. Généralement, c'est cette partie de la maison d'oiseaux qui cède la première, provoquant alors la destruction de la nichée. Dans la plupart des nichoirs, quelques trous dans le fond suffisent à assurer un égouttement efficace.

- Un autre point à surveiller est l'aération. Une cabane doit être bien aérée et ventilée. Lors de grosses canicules, si la température est trop élevée à l'intérieur du nichoir, les jeunes oiseaux quitteront l'habitacle avant de savoir voler. Le choix de bons matériaux évite les variations trop brusques de température. Il faut utiliser du bois durable de bonne épaisseur. Plus le bois est épais, mieux la cabane est isolée.

- La dimension intérieure du plancher du logis ne doit jamais être inférieure aux ⅘ de la longueur de l'oiseau.

- Lors de l'achat de matériaux pour une mangeoire, rappelez-vous que les oiseaux se servent surtout de la vue pour trouver leur nourriture. L'acrylique ou la vitre sont à conseiller.

- Autre point important : le cubage. Même si l'évaluation du volume d'air demeure assez élastique, il vaut mieux respecter certaines règles afin d'assurer le confort de la couveuse, puis de ses petits, et donc la conduite à bon port de la couvée. Les dimensions des nichoirs ont été prévues en ce sens. Parfois, pour empêcher l'intrusion d'espèces indésirables, il est nécessaire de diminuer le cubage. Nous y reviendrons quand nous parlerons des cabanes pour hirondelles bicolores.

- Le choix du diamètre de l'entrée — nous recommandons presque toujours une ouverture de forme circulaire — est crucial, car il permet à l'oiseau que l'on veut voir nicher dans la maison de s'y introduire aisément, mais nous devons toujours garder à l'esprit qu'il faut interdire l'accès aux moineaux et aux sansonnets.

Tableau des diamètres d'ouverture

Nom de l'oiseau	Diamètre de l'entrée
Troglodyte familier	26 mm (1 po)
Mésange Sittelle Pic mineur	32 mm (1 ¼ po*)
Hirondelle bicolore Merlebleu	40 mm (1 ½ po**)
Hirondelle noire	63 mm (2 ½ po)
Canard branchu	10 à 15 cm (4 po à 6 po)

* Au-delà de 35 mm (1 ⅜ po), le moineau s'introduit.

** Au-delà de 42 mm (1 ⅝), le sansonnet s'introduit.

Toutefois, l'hirondelle noire, le branchu, l'hirondelle bicolore, le merlebleu et quelquefois le troglodyte s'accommodent d'ouvertures plus larges aux formes variées. Par exemple, le troglodyte et la sittelle à poitrine rousse rétrécissent eux-mêmes l'ouverture du nichoir en entrelaçant des petites branches épineuses de cenellier — quand il y en a aux alentours —, et forment ainsi une barricade quasi infranchissable. La sittelle à poitrine rousse enduit le pourtour de la cavité choisie de gomme de sapin afin de se protéger.

L'ouverture ne doit pas se trouver trop près du toit pour empêcher les sansonnets, les moineaux et les animaux prédateurs (ratons laveurs, chats errants, etc.) d'atteindre les petits. Une exception pour l'hirondelle noire: celle-ci ayant de très petites pattes, il faut placer l'ouverture à moins de 5 cm (2 po) du plancher.

- Une fois ces exigences préliminaires satisfaites, il reste le problème d'accès au nid. Il faut pouvoir y accéder en tout temps, non pas pour vérifier l'évolution de la couvée, mais plutôt pour éliminer les nids d'indésirables et aussi pour les nettoyer après chaque utilisation.

Un nichoir peut s'ouvrir:

A) par devant   B) sur le côté   C) par le toit

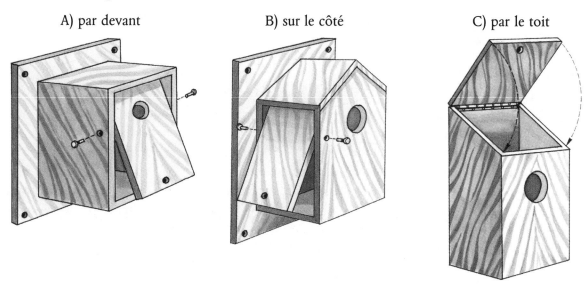

L'INSTALLATION

Quand installer un nichoir

C'est en général au printemps qu'on installe les nichoirs, mais la période varie selon les espèces que l'on veut attirer. En fait, on devrait les installer dès qu'on aperçoit les oiseaux qu'on voudrait bien voir y élire domicile. Si on le fait avant, on risque fort de les trouver pris d'assaut par des sédentaires comme les quiscales. Les nichoirs ne doivent donc pas être laissés en place toute l'année, ouverts aux quatre vents et à toutes sortes d'intrus.

Voici quelques exemples de périodes idéales d'installation pour certaines espèces:
- hirondelle noire: aussitôt que les premiers éclaireurs font leur apparition dans le ciel, vers la fin d'avril;
- hirondelle bicolore: quand on les voit fureter un peu partout, vers la mi-avril;
- merlebleu: à la mi-mars, en gardant un œil sur les moineaux;
- autres espèces: dès leur apparition au printemps, en veillant à éloigner les quiscales.

Où placer un nichoir

On n'installe pas un nichoir n'importe où. Autant que possible, il doit être installé dans l'environnement qui reproduit le mieux les conditions naturelles qui attirent les oiseaux. Si l'oiseau ne peut trouver sa nourriture à proximité, le nichoir restera sans doute inoccupé. Nous tenterons, tout au long de cet ouvrage, de décrire avec précision les mœurs de chaque espèce susceptible d'adopter un de vos nichoirs. Rappelez-vous que les oiseaux vous choisissent comme protecteur.

Voici quelques exemples de lieux d'installation pour certaines espèces :

- hirondelle noire : le plus près possible de la maison pour avoir les moineaux et les sansonnets à l'œil ;
- hirondelle bicolore : à la ville, fixé à la maison, si possible à la fenêtre ; à la campagne, partout où les moineaux sont absents ;
- merlebleu : à au moins 170 m (500 pi) des habitations, en pleine campagne, où l'herbe n'est pas trop longue. Par exemple, dans un pâturage avec, si possible, un arbuste non loin, en avant de l'entrée ;
- autres espèces : voir le chapitre V.

À quelle hauteur installer un nichoir

La hauteur du nichoir a son importance. Il doit être installé hors de portée de main humaine à cause du vandalisme possible.

- hirondelle noire : aussi haut que possible : 3,6 m à 6 m (12 pi à 20 pi), loin des arbres et assez près de la maison. Ces oiseaux sont très sociables, ils aiment la compagnie des humains ;
- hirondelle bicolore : à la ville, accroché à une fenêtre ; à la campagne : 1,5 m à 4,5 m (5 pi à 15 pi) du sol ;
- merlebleu : sur un piquet de clôture, à hauteur des yeux, afin de le surveiller et d'évincer les moineaux qui ont tendance à s'approprier son nid.

L'orientation du nichoir

La façade d'un nichoir ne doit jamais être orientée au sud. On doit veiller à orienter l'entrée du nichoir à l'est, au nord ou au nord-est pour éviter toute surchauffe qui résulterait d'une pénétration directe des rayons du soleil à travers l'entrée.

NOS PETITS SECRETS

- La pluie battante tue tous les ans d'innombrables oisillons au nid. N'exposez jamais l'entrée de vos cabanes aux vents dominants. Le trou permettant l'entrée de l'oiseau devrait toujours être incliné de bas en haut vers l'intérieur pour empêcher la pluie de pénétrer dans le nichoir.

- Si des écureuils ou des pics s'escriment à élargir l'entrée, posez une plaque métallique ou plantez tout autour de l'entrée des clous à couverture.

- Si vous craignez la présence de ratons laveurs, fixez sur l'ouverture de la cabane une pièce de bois d'au moins 2,5 cm (1 po) d'épaisseur, percée aux dimensions de l'entrée ; le raton ne pourra alors atteindre les œufs ou les oisillons, même en tendant la patte à l'extrême. Cela ne nuira en rien à l'oiseau pour accéder à son nid, mais les prédateurs en seront quittes pour leurs frais. Vous pouvez aussi fixer de petits perchoirs sur la cloison avant, immédiatement sous l'entrée à l'intérieur. L'oiseau y fera une halte, par contre le prédateur ne pourra atteindre les œufs. Ces perchoirs doivent être d'une solidité à toute épreuve.

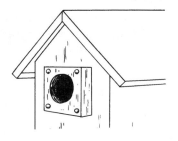

- La meilleure façon d'imperméabiliser une cabane consiste à l'enduire d'huile de lin à l'intérieur comme à l'extérieur jusqu'à ce que le bois en soit bien imprégné. Laissez sécher pendant au moins un mois à l'extérieur. L'oxygène aidant, il se formera une couche imperméable très durable.
- Une cabane doit être construite en bois durable de bonne épaisseur. Des expériences ont prouvé qu'il peut exister un écart de température de 3 °C (9 °F) entre un nichoir en bois épais et dans un nichoir en bois mince.
- Installez les mangeoires du côté ensoleillé de la maison pour éviter que les oiseaux ne se frappent sur les fenêtres panoramiques.
- Placez dans une fenêtre une cabane d'oiseaux avec, comme mur arrière, une vitre-miroir. Vous pourrez ainsi admirer les oiseaux sans qu'ils soupçonnent votre présence. Un ami a égayé ainsi le dernier été de sa belle-mère qui a pu voir s'envoler une nichée de merlebleus.
- Nous vous recommandons les perchoirs uniquement dans le condominium pour hirondelles noires. Une habitation à logis multiples peut accommoder jusqu'à 48 individus (24 couples). À raison de quatre nouveau-nés par couple, le nichoir peut héberger jusqu'à 150 individus en automne, sans compter les visiteurs. Il n'y a jamais assez de perchoirs dans ce genre de maisonnette pour oiseaux.

Pour toutes les autres, il y en a toujours trop. De nombreux amateurs pensent que l'oiseau a besoin de cette corniche pour parvenir au gîte. Rien de plus faux. Tous les nicheurs en cavité, qui ont depuis toujours bénéficié de l'appui généreux des pics, ont appris à se dispenser de cet encombrant gadget.

CHAPITRE II

Le merlebleu

Enfants, nous habitions dans un tout petit village situé aux pieds des Laurentides, dans un cul-de-sac qui aboutissait à un immense affleurement de roche appelé « le cap à Lebeau ». C'était un ancien pacage à vaches, sans fils barbelés pour le délimiter. Dans ce temps-là, les cultivateurs élevaient aux limites de leur terre des murets en pierre, quand le sol était rocailleux. Dans ces amoncellements, ils plantaient des piquets de cèdre ou fabriquaient des chevalets du même bois, sur lesquels ils plantaient de longues perches que le temps évidait. Telles étaient les clôtures autrefois.

Les cerisiers à grappes proliféraient entre les pierres, les chenilles à tente ne les avaient pas encore dévastés. Ces lieux représentaient des coins de prédilection pour les merlebleus et les troglodytes familiers. Aujourd'hui, en éliminant ce genre de clôture du territoire québécois, les cultivateurs ont chassé le merlebleu. Nos voisins du Sud ont tenté de reconstituer ce décor, recréant ainsi les conditions de nidification du merlebleu : ils ont planté dans la terre un vieux poteau de cèdre évidé dans le haut. Les merlebleus sont revenus…

Une autre façon d'attirer le merlebleu est de construire des nichoirs très simples. Nous vous les faisons découvrir dans ce chapitre.

UNE PISTE D'OISEAUX BLEUS

Visiter une piste d'oiseaux bleus s'impose, au moins une fois dans sa vie. L'enchantement est garanti. Celle que nous inaugurions, France et moi, il y a déjà trente ans, contenait quelque quatre douzaines de nichoirs. Aux premiers jours du printemps, toute la famille, accompagnée de quelques volontaires du village, s'était aventurée dans les pâturages avoisinants avec des brouettes pleines de nichoirs en dosse de cèdre. Nous avions, bien entendu, obtenu la permission des fermiers concernés. Notre vieil ami, Lucien Leroux, avait construit pour nous ces premières maisonnettes.

Chaque fois qu'une hirondelle bicolore s'appropriait un nichoir, nous en érigions un autre à 3 ou 4 m (10 ou 15 pi). Par contre, nous espacions les nichoirs pour merlebleu de 100 m (300 pi). Le merlebleu est un oiseau territorial. Il a besoin de ce territoire qu'il protège contre tout autre mâle de son espèce. Il est intransigeant envers ses semblables. En plaçant les nichoirs à plus de 350 m (1000 pi) des habitations nous avons évité les problèmes avec les moineaux.

Nous avons vécu presque à plein temps pendant quatre mois près de nos premiers nichoirs. À notre grand désespoir, les maisonnettes demeuraient vides. Enfin, dans le calme d'un soir de juillet, il nous sembla entendre un gazouillis que nous n'avions pas oublié malgré les années. Nous avons eu alors l'impression de voir comme un lambeau de ciel bleu s'échapper d'une cabane installée au beau milieu d'un pâturage parsemé de talles d'aubépines. Avions-nous rêvé ? Grâce aux jumelles, nous allions en avoir la confirmation.

Impossible de se tromper : l'oiseau de nouveau perché sur le nichoir avait la forme, l'attitude et la posture du merlebleu. L'oiseau bleu de notre enfance était revenu. Toutefois, l'abri resta vide durant quelques jours. Puis les œufs et les petits apparurent. Nous avons ensuite eu le bonheur de voir deux jeunes se terrer dans les bosquets épais attendant que les parents leur apportent la becquée. Ils ont peuplé ce champ en friche tout l'été !

L'année suivante, nous les avons attendus en vain. Ils n'avaient été que des voyageurs de passage… Puis, presque en même temps que la parution de notre livre, *Le Retour de l'oiseau bleu,* le merlebleu est revenu nous visiter, cette fois dans une cabane délabrée que nous avions oublié de récupérer l'automne précédent. Un jour, quatre beaux petits merlebleus s'en envolèrent. Depuis cette époque-là, il ne se passe pas une semaine sans qu'un ami téléphone ou écrive pour nous dire que « l'oiseau bleu est revenu » !

Dans l'Ouest canadien, John Lane inaugurait sa piste, il y a quarante ans. Aujourd'hui, elle couvre plus de 3200 km (2000 milles) et 10 000 nouveaux merlebleus, tous les ans, égayent l'azur. John Lane n'est plus, mais, Norah, son épouse, continue son œuvre. Aux États-Unis où Larry Zeleny a pris la relève, innombrables sont ceux qui s'intéressent à la survie du merlebleu.

Notre expérience ainsi que celle de combien d'autres prouvent que l'oiseau bleu peut être sauvé à condition que les humains veillent à sa survie en reconstituant son habitat.

Inaugurez votre propre piste

Vous aussi pouvez constituer un sentier de merlebleus. La meilleure façon d'y parvenir est de couvrir les parcours du merlebleu de nichoirs. Toutefois, il est préférable de ne pas emprunter toujours le même chemin en les visitant, car le raton laveur aime suivre la trace des humains. L'expérience lui a appris qu'il peut ainsi trouver des restes à manger. Évitez donc de lui montrer le futur chemin des œufs et des oisillons. La piste peut compter 4, 10, 100 nichoirs ou plus. Tout dépend de votre disponibilité et de la grandeur du terrain que vous voudrez couvrir. N'hésitez pas à demander de l'aide. Ces précieux collaborateurs partageront vos joies.

N'attendez pas le retour des merlebleus pour commencer le travail. Dès le début de mars, recherchez un terrain, sablonneux de préférence, où l'herbe n'est ni trop drue ni trop haute. Les ennemis à quatre pattes ne peuvent s'y dissimuler et les insectes qui y prolifèrent sont accessibles pour les oiseaux. Ces derniers utilisent les arbustes épars comme points d'observation pour chasser.

Dernier conseil avant l'installation proprement dite : le merlebleu et le moineau ne font pas bon ménage. Il est donc primordial d'éloigner les moineaux si vous désirez attirer les merlebleus. Par contre, comme nous l'avons déjà dit, le merlebleu et l'hirondelle bicolore peuvent s'accommoder d'un même territoire, car le premier se nourrit au sol de sauterelles, de criquets, d'araignées ou de chenilles, tandis que la seconde pourchasse les insectes dans le ciel. On peut donc apparier des nichoirs de merlebleu et d'hirondelle bicolore. En revanche, les nichoirs de merlebleu doivent être séparés d'au moins 100 m (300 pi) l'un de l'autre.

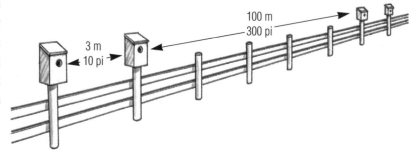

L'INSTALLATION DU NICHOIR

Fixez le nichoir sur un poteau ou sur un piquet de clôture, à portée de main. Le merlebleu tolérera votre présence discrète. Il vous sera ainsi plus facile d'éloigner les intrus. La présence d'un arbuste à proximité — à moins de 5 m (16 pi) —, de préférence devant l'entrée, est conseillée.

Si, l'automne venu, vous ne pouvez le récupérer, laissez le nichoir en place jusqu'à votre ronde du printemps. Les prédateurs, mulots, écureuils ou autres ne pourront s'en servir, car vous aurez laissé la porte entrebâillée.

LES NICHOIRS POUR MERLEBLEU

Le classique

Les inconditionnels du merlebleu utilisent bien des modèles. Mais si l'on désire installer un sentier de merlebleus, la demeure la plus facile à fabriquer en série reste le classique.

Ceux qui utilisent cette maisonnette y retrouvent fréquemment, au printemps, des hirondelles bicolores mortes, parce que l'intérieur de la porte est fait d'un bois qui ne présente aucune prise. Les pattes de ces oiseaux n'ont pas la solidité et la force de celles du merlebleu pour sauter et atteindre l'entrée, et elles sont aussi beaucoup plus courtes. À cette période de l'année, les oiseaux passent parfois quelques jours sans nourriture et au froid. Ils ne parviennent plus à rejoindre la porte et n'ont plus la force pour s'échapper de leur prison. En installant une échelle sur la face interne de la porte (voir p. 25), vous pourrez sauver bien des hirondelles bicolores. L'oiseau se servira de ces aspérités pour s'extraire de la cabane.

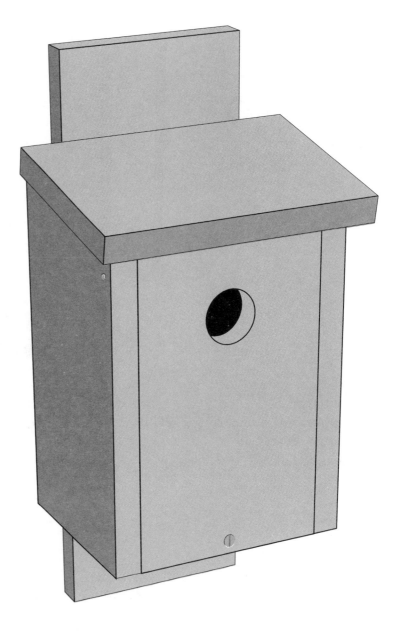

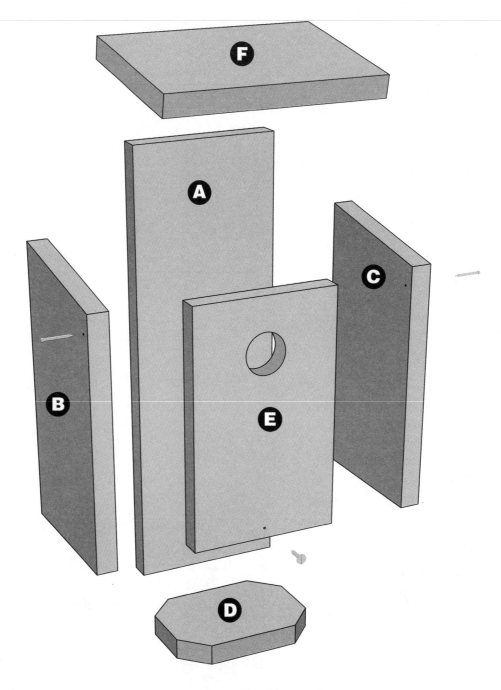

Matériaux

- 1 planche de 5 pi de long x 5 ½ po de largeur et 1 po d'épaisseur
- clous de 1 ½ po
- vis de 1 ½ po

Outils

- équerre
- emporte-pièce de 1 ½ po
- vis de 1 ½ po
- perceuse électrique avec une mèche fine pour commencer les trous où l'on enfoncera les clous, ce qui empêche le bois de fendiller
- scie égoïne ou scie ronde
- fusil à joint
- marteau
- tournevis

Le nichoir dans la fenêtre (plan p. 43). Jamais les moineaux ne disputeront ce logis aux hirondelles bicolores. (Photographies : Bernard Trottier.)

Un mâle merlebleu au nichoir « le classique » (plan p. 23).
Remarquez la plaque à l'entrée destinée à contrer les prédateurs (voir « Nos petits secrets » p. 20).

En haut : De jeunes bicolores quémandant la becquée dans le nichoir que nous appelons « la bascule » (plan p. 41).
En bas : Une simple planchette sous le toit a attiré un merle d'Amérique (plan p. 65) ;
ici un jeune, manifestement, sa poitrine pivelée en témoigne.

Avec le troglodyte familier, toute cavité peut servir de nid pourvu que le diamètre de l'entrée ait au moins 1 po.

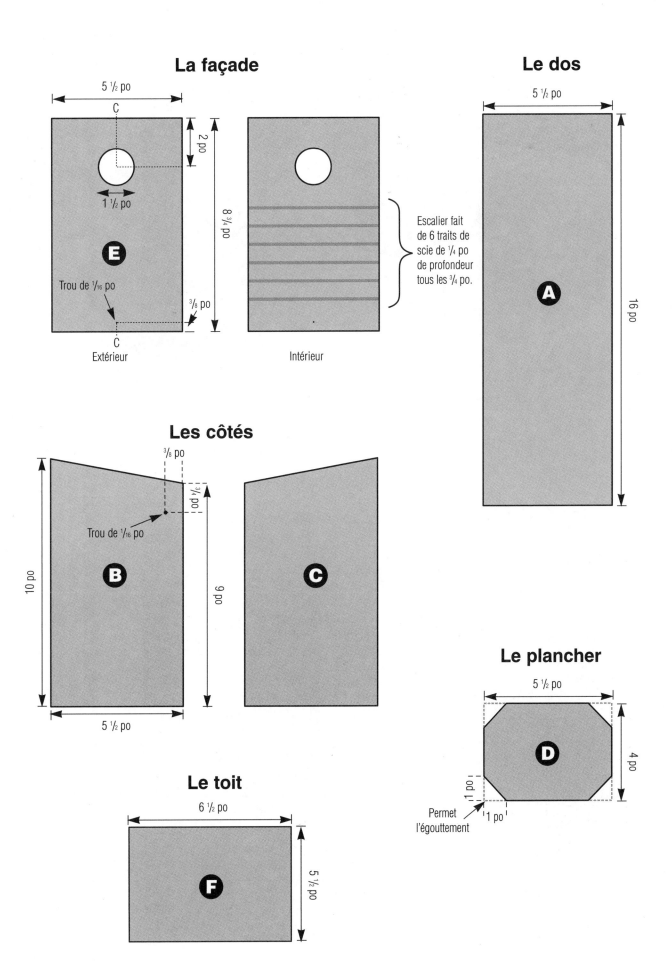

La façade

5 ½ po

C

2 po

1 ½ po

8 ¾ po

E

Trou de ¹⁄₁₆ po

³⁄₈ po

C

Extérieur

Intérieur

Escalier fait de 6 traits de scie de ¼ po de profondeur tous les ¾ po.

Le dos

5 ½ po

A

16 po

Les côtés

³⁄₈ po

³⁄₄ po

Trou de ¹⁄₁₆ po

B

10 po

9 po

C

5 ½ po

Le plancher

5 ½ po

D

4 po

1 po

1 po

Permet l'égouttement

Le toit

6 ½ po

F

5 ½ po

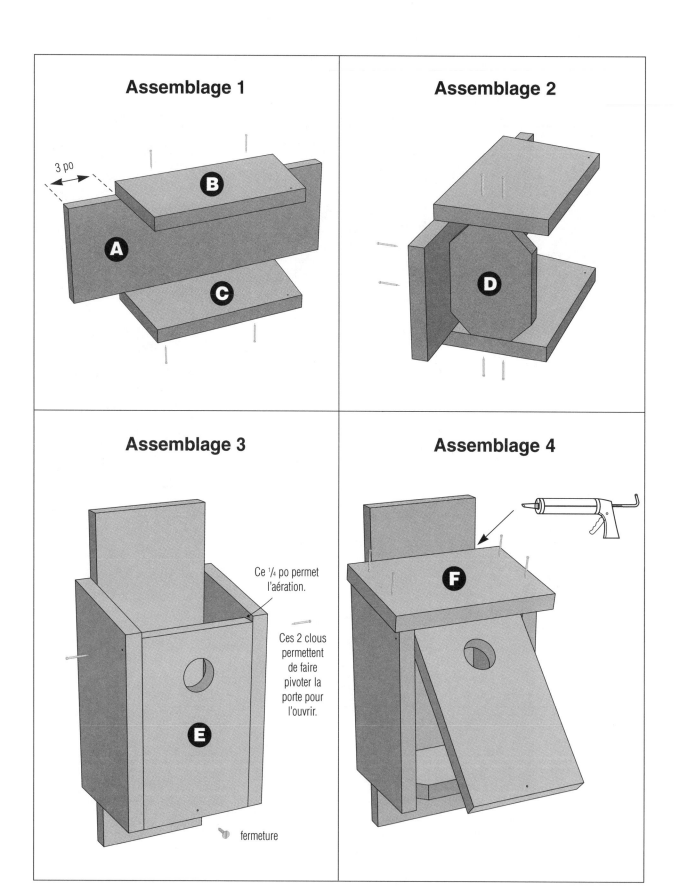

Assemblage 1

3 po

B

A

C

Assemblage 2

D

Assemblage 3

Ce ¼ po permet l'aération.

Ces 2 clous permettent de faire pivoter la porte pour l'ouvrir.

E

fermeture

Assemblage 4

F

Le nichoir Peterson

En septembre 1989, lors de la réunion annuelle de la North American Bluebird Society (NABS), plus de 100 membres étaient présents pour parler de leurs merlebleus. France et moi étions assis à la table de Dick Peterson. Cet homme ne s'anime que lorsque la conversation concerne ses amis, les oiseaux. Il devient alors intarissable. Ce soir-là, on allait lui décerner le trophée Larry-Zeleny[2], la consécration officielle de toute une vie destinée aux merlebleus. En face de chaque invité se trouvait la réplique miniature du nichoir conçu par cet octogénaire. Profitant d'un moment de calme, nous avons demandé à Dick de nous expliquer l'originalité de son invention. C'est ainsi que nous avons parfait nos connaissances sur le merlebleu et le moineau.

La surface de plancher réduite rebute le moineau dont le nid est volumineux. Il a aussi de la difficulté à se percher sur une surface en pente comme celle de la devanture du nichoir Peterson. Le merlebleu, par contre, se cramponne en plaçant une patte dans l'ouverture et se soutient avec l'autre, qu'il place un peu plus bas sur la façade. Il parvient ainsi à se pencher à l'intérieur pour nourrir ses petits. Quant à l'angle du toit, il permet l'égouttement mais, surtout, il empêche les ratons laveurs de fouiller dans l'habitacle pour en extirper les œufs ou les oisillons.

La porte d'entrée préconisée par ce chercheur ne fait pas l'unanimité. Keith Kridler et Harry Krueger, des ornithologues chevronnés des États-Unis, ont prouvé maintes fois que les sansonnets peuvent s'y insérer. Quoi qu'il en soit, dans le Middle West américain, Dick Peterson est vu comme un précurseur. S'il adoptait la porte d'entrée conventionnelle de forme arrondie et de 3,8 cm (1 ½ po) de diamètre, il ferait peut-être l'unanimité avec sa structure révolutionnaire.

En 1983, Dick Peterson écrivait:

> *Le merlebleu et le moineau domestique ne peuvent partager le même territoire. On ne peut permettre au moineau de se reproduire où le fait l'oiseau bleu. J'ai donc conçu pour vous un nichoir qui donne des résultats. Pourquoi l'ai-je fait? À cause des instincts de tueur du moineau qui se révèle le pire ennemi ailé du merlebleu. Ici, dans le Midwest, nous avons conçu un nichoir à façade inclinée.*

---

2. France et moi avons reçu ce trophée en 1983.

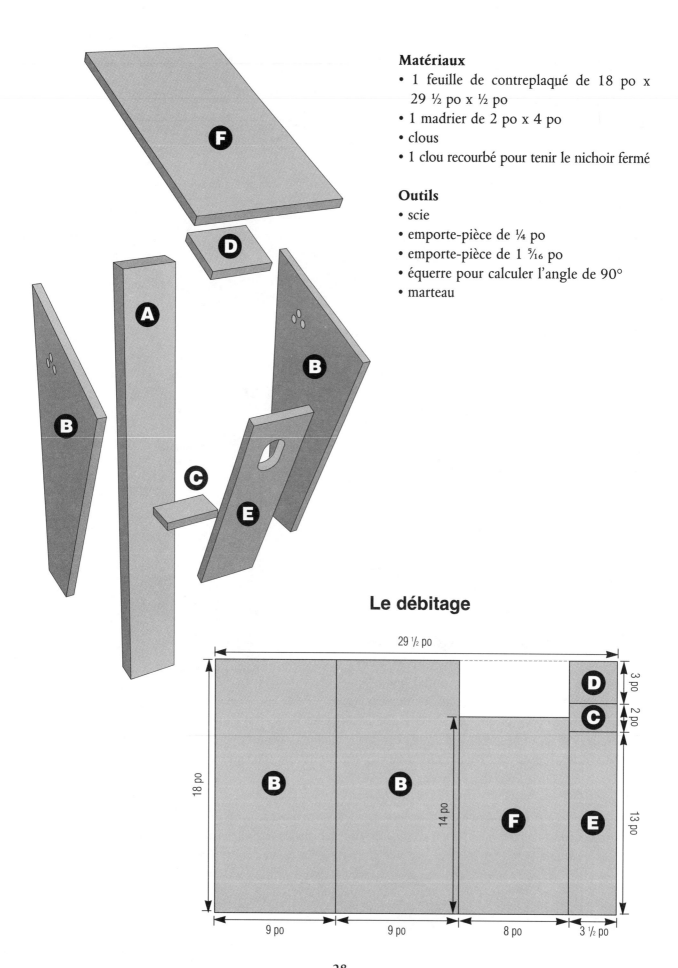

Matériaux

- 1 feuille de contreplaqué de 18 po x 29 ½ po x ½ po
- 1 madrier de 2 po x 4 po
- clous
- 1 clou recourbé pour tenir le nichoir fermé

Outils

- scie
- emporte-pièce de ¼ po
- emporte-pièce de 1 ⁵⁄₁₆ po
- équerre pour calculer l'angle de 90°
- marteau

Le débitage

29 ½ po

18 po

14 po

3 po

2 po

13 po

9 po

9 po

8 po

3 ½ po

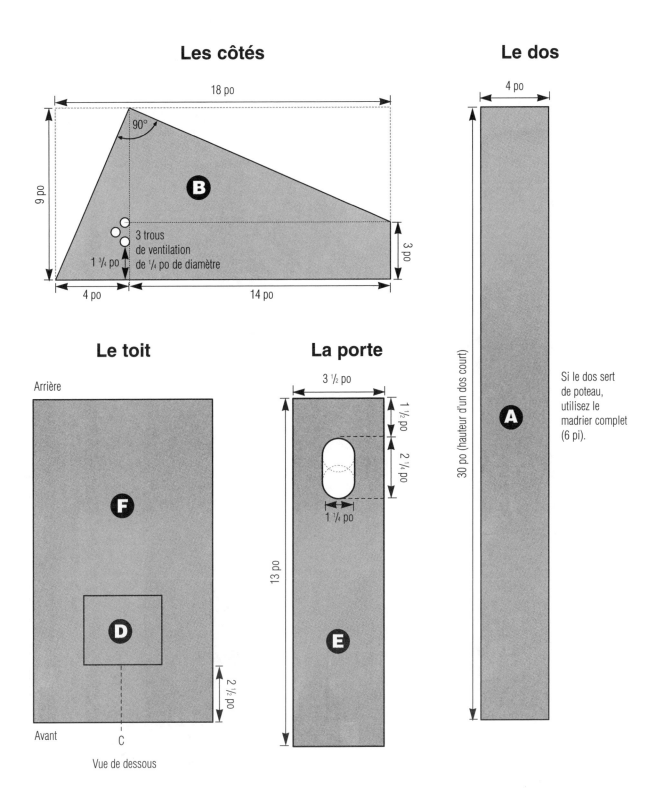

Les côtés

18 po

90°

9 po

B

3 trous
de ventilation
de ¹/₄ po de diamètre

1 ³/₄ po

4 po

14 po

3 po

Le dos

4 po

30 po (hauteur d'un dos court)

A

Si le dos sert
de poteau,
utilisez le
madrier complet
(6 pi).

Le toit

Arrière

F

D

2 ¹/₂ po

Avant

C

Vue de dessous

La porte

3 ¹/₂ po

1 ¹/₂ po

2 ¹/₄ po

1 ¹/₄ po

13 po

E

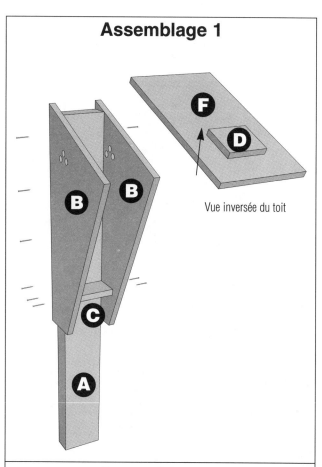

Assemblage 1

Vue inversée du toit

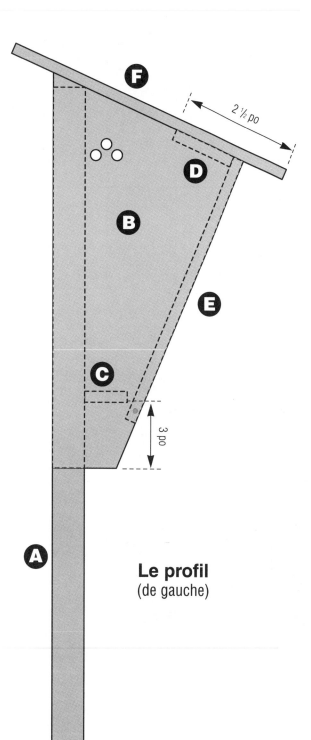

Le profil
(de gauche)

2 ½ po

3 po

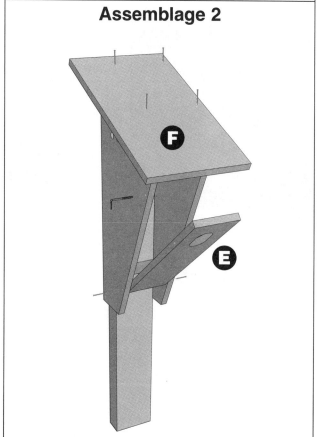

Assemblage 2

L'astucieuse

L'oiseau en train de couver aime bien mettre son nez dehors s'il entend du bruit, pour vérifier l'approche d'un possible prédateur. Pour cette raison, nous avons conçu une cabane avec une façade étroite. La couveuse peut ainsi jeter un coup d'œil à droite ou à gauche sans quitter sa demeure. Afin que l'oiseau puisse s'étendre, nous avons doublé la partie arrière du plancher. Une femelle merlebleu s'y sentirait à l'aise! Pour empêcher le moineau d'y accéder, nous avons fait dépasser le toit en pente vers l'avant afin qu'il recouvre l'entrée.

Cependant, nous avons bâti ce nichoir en pensant surtout au raton laveur qui, en s'agrippant au toit, parvient à saisir les oisillons avec l'une de ses pattes de devant.

Nous ne sommes pas des experts en anatomie animale, mais avec une telle construction, nous sommes convaincus que le raton ne peut réussir à saisir les oisillons. À vous de l'expérimenter!

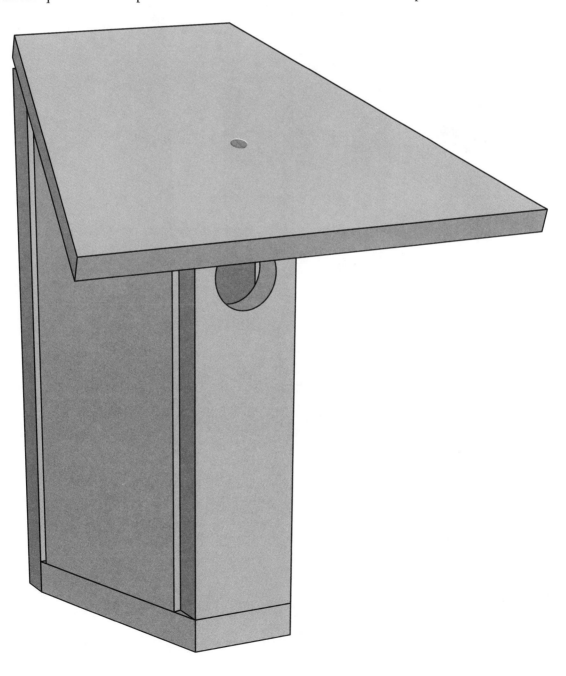

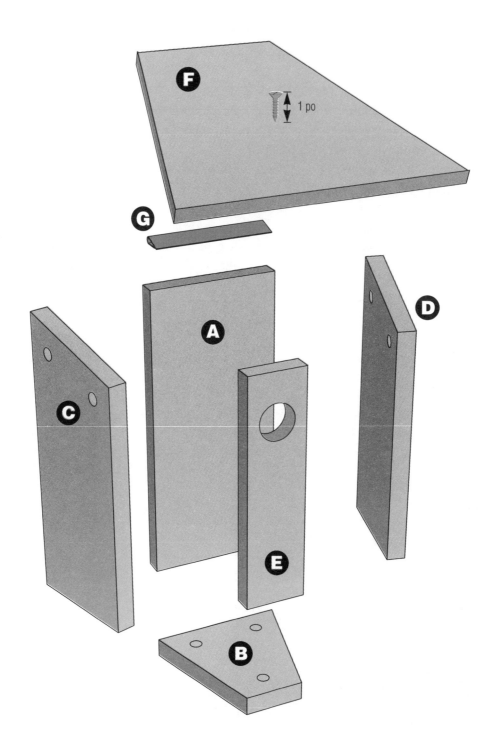

1 po

Matériaux

- 1 planche de 5 ½ po x 49 ½ po x ¾ po
- 1 feuille de contreplaqué de 10 po x 11 po x ½ po
- 1 charnière en cuir de 1 ¾ po x 5 po
- 1 vis de 1 po
- clous
- 5 clous avec tête pour fixer la charnière

Outils

- scie
- emporte-pièce de ½ po
- emporte-pièce de 1 ½ po

Les côtés

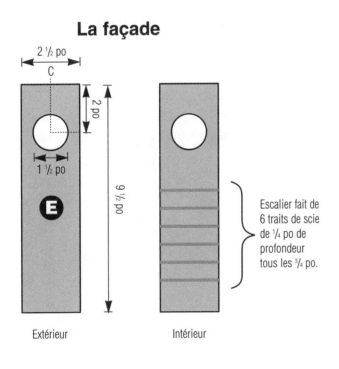

C

1 po

C

11 ¼ po

1 po

9 ¾ po

C

D

4 ¾ po

Le dos

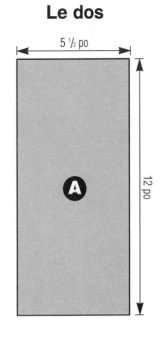

5 ½ po

A

12 po

La façade

2 ½ po

C

2 po

1 ½ po

E

9 ½ po

Extérieur

Intérieur

Escalier fait de
6 traits de scie
de ¼ po de
profondeur
tous les ¾ po.

Le plancher

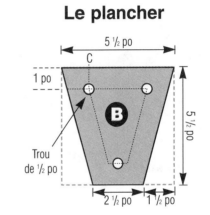

5 ½ po

C

1 po

B

5 ½ po

Trou
de ½ po

2 ½ po   1 ½ po

Le toit

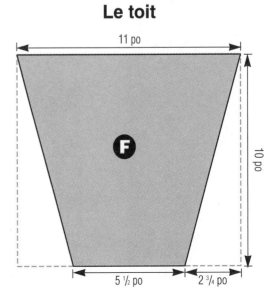

11 po

F

10 po

5 ½ po   2 ¾ po

La charnière
de cuir

5 po

G

1 ¾ po

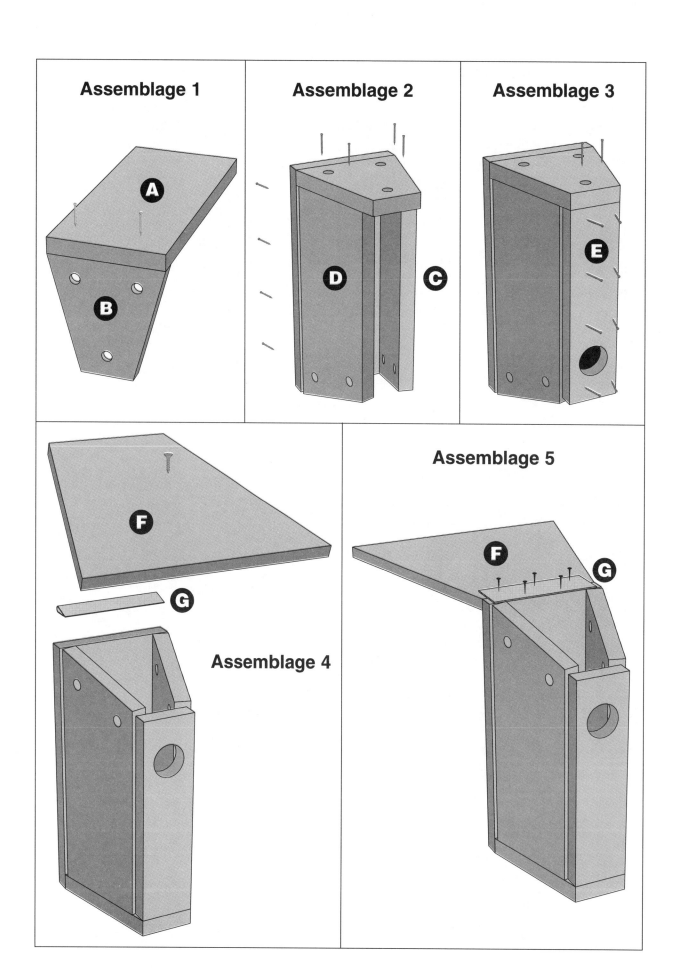

Assemblage 1

A
B

Assemblage 2

D
C

Assemblage 3

E

Assemblage 4

F
G

Assemblage 5

F
G

CHAPITRE III

L'hirondelle bicolore

Pour l'amant de la vie au grand air, l'hirondelle bicolore apporte exotisme et éclosion de vie. Les mots sont incapables de décrire le bonheur apporté par cette présence toute menue qui s'épanouit pour le plaisir des yeux de ceux qui ont ardemment désiré sa présence.

Le printemps ne s'est pas encore installé qu'elle fait une furtive apparition. Par un revigorant matin ensoleillé, elle gazouille sur le toit ou tout près du logis que vous venez à peine de réinstaller. Est-ce celle qui y nichait l'année dernière ou une jeune revenant à l'endroit qui l'a vue naître ? Peu importe. L'important, c'est qu'elle soit au rendez-vous. Tous les jours ou presque, votre invitée vous fera de brèves visites avant de s'en aller au loin, dans la nature.

COMMENT AIDER L'HIRONDELLE À S'IMPLANTER

Si vous désirez vraiment la présence de l'hirondelle bicolore chez vous, il vous faudra être patient, car, même si le couple a choisi votre nichoir, la nidification est bien longue à commencer. L'hirondelle bicolore est l'un de ces oiseaux nicheurs en cavité qui nécessite beaucoup de temps. Vous devez l'aider à s'implanter, notamment en surveillant les nichoirs pour éliminer les moineaux. Quant aux sansonnets, ils ont vite compris qu'ils ne peuvent s'introduire dans sa demeure.

En arrivant chez vous, ces migratrices récupèrent des fatigues du voyage. Elles réalisent qu'il est trop tôt pour commencer la couvée. Les insectes volants ne pullulant pas encore, elles ne sont pas pressées de faire éclore de jeunes affamés qui mourraient de faim à cause d'un apport de nourriture insuffisant. Elles folâtrent, batifolent et remettent à plus tard l'élaboration du nid. Le matin, elles restent dans le nichoir, mais partent vite vers les marécages où elles ont plus de chance de trouver leur nourriture. Pendant ce temps, les moineaux font des ravages. En un après-midi, un moineau mâle peut apporter dans le nichoir un tel fouillis d'herbes et de paille que plus jamais une bicolore ne viendra y nicher. En effet, celle-ci est très sélective en ce qui concerne les matériaux de sa future demeure. Elle préfère les fines herbes séchées odorantes et, si possible, des plumes blanches. Un vrai petit nid douillet, bien différent de l'informe amas fabriqué par le moineau.

Mais, une fois les petits éclos, l'habitation de l'hirondelle bicolore se transforme vite en taudis. Les parents, trop occupés à nourrir leurs gloutons — habituellement cinq par nichée —, n'ont pas le temps de vaquer aux tâches ménagères et laissent s'accumuler les déjections de leurs petits. Rarement voit-on une bicolore repartir avec un sac fécal; elle laisse ce genre de corvées à sa consœur pourprée!

Pour donner un peu plus de temps aux parents, nous vous suggérons un logis où plusieurs jeunes peuvent être nourris en même temps. Quand vous réaliserez le temps que perd le couple à s'introduire et à s'extirper du nichoir, vous vous fabriquerez celui-ci. Les parents n'en finissent pas d'apporter la becquée, et leurs rejetons ne se décident pas à quitter le nid. Par contre, une fois la décision prise, vous ne les reverrez plus. Ils sont partis s'émanciper dans le vaste monde…

HISTOIRE D'UNE DÉCOUVERTE: LA MINICARAVANE À SELLETTE

En roulant pendant dix ans en autocaravane, de terrain de camping en terrain de camping, nous avons découvert des merveilles, parfois même de véritables joyaux. Voici l'histoire de notre dernière trouvaille.

Comme nous arrivons à Omerville, dans les Cantons de l'Est, l'été règne dans toute sa splendeur. Au bureau d'inscription du camping, les occupants d'une maisonnette d'oiseaux, qui trône près de l'entrée, nous souhaitent la bienvenue. Il s'agit de bébés hirondelles bicolores qui s'apprêtent à quitter le nid. Ils semblent autant à l'aise dans cet environnement champêtre que les campeurs qui vaquent à leurs occupations et ne se soucient guère de leur présence. Nous nous informons pour savoir le nom du responsable de ce bricolage. Il s'agit de Jacques Lapointe, ex-professeur de menuiserie à la polyvalente La Ruche, à Magog. Le trouver est notre première préoccupation.

Cet homme a choisi de vivre à longueur d'année dans ce décor bucolique. Il consacre tous ses loisirs à la fabrication de ces maisons miniatures. Il fabrique tout à la main, avec des planchettes de ½ po d'épaisseur. Seules les bandes autocollantes viennent du magasin d'artisanat. Ce nichoir ressemble à une véritable maisonnette pour poupées et elle fonctionne à merveille. On suspend bien en vue, quelque part sous le toit de la caravane, par de minuscules œillets — tout est miniature! — fixés aux deux extrémités et reliés par une broche.

M. Lapointe fabrique aussi d'autres modèles — même des motorisés —, tous aussi mignons les uns que les autres. Mais sa plus géniale conception reste cette minicaravane. Napoléon, le père de France, en parlerait de manière très imagée s'il vivait encore. Dans un espace aussi restreint, un oiseau dont la taille équivaut presque à la plus grande dimension de son appartement ne pourrait même pas changer d'idée!

Les moineaux, pourtant nombreux aux alentours, n'ont jamais tenté de visiter, encore moins d'habiter, ces minicabanes.

Une hirondelle bicolore adulte mâle mesure quelque 15 cm (6 po), la femelle est de taille légèrement inférieure. Rendez-vous compte que cet apprenti sorcier leur a bâti un logis excédant à peine leur longueur et où elles peuvent à peine se tenir debout sur leurs courtes pattes. Le fait de se retourner est en soi toute une gymnastique.

LES NICHOIRS POUR L'HIRONDELLE BICOLORE

La minicaravane à sellette

Matériaux
- 1 planche en pin de 4 ½ po x 48 po x ½ po
- 1 pi de goujon de ¼ po de diamètre
- 12 vis de 1 x 8 (8 pour le toit, 4 pour le plancher)
- 3 douzaines de clous à finition de 1 po
- 6 clous à finition de ½ po pour fixer les goujons et les roues au plancher
- 1 petit tube de colle pour extérieur
- 1 minicanette de peinture blanche, un peu de peinture noire
- 24 po de bandes décoratives autocollantes

Outils
- scie
- emporte-pièce de 1 ½ po
- emporte-pièce de ¼ po

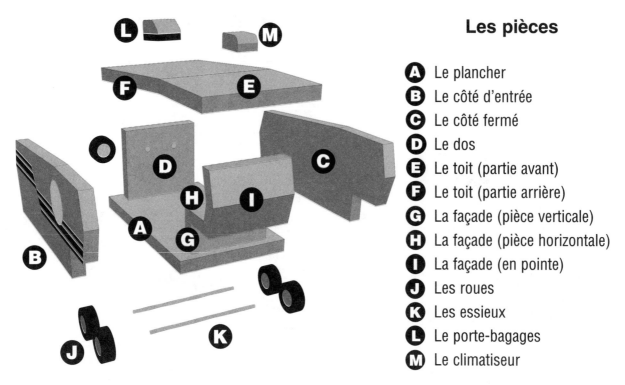

Les pièces

A Le plancher
B Le côté d'entrée
C Le côté fermé
D Le dos
E Le toit (partie avant)
F Le toit (partie arrière)
G La façade (pièce verticale)
H La façade (pièce horizontale)
I La façade (en pointe)
J Les roues
K Les essieux
L Le porte-bagages
M Le climatiseur

LE PROJET ET SES ÉTAPES

Débitage

- Scier les 10 pièces qui forment la structure.
- En se servant du plan grandeur nature (voir p. 40), découper les deux côtés, dont un avec le trou d'entrée de 1 ½ po. À l'assemblage, ils dépassent légèrement à l'avant et à l'arrière. Voir les lignes pointillées sur le plan qui indiquent où joindre l'avant et l'arrière.

Assemblage

- Commencer par la façade (4 morceaux). Arrondir les angles des deux pièces I de manière à pouvoir les coller inclinées. Coller et clouer H sur G. Joindre les pointes I préalablement assemblées.
- Clouer le côté d'entrée B à la façade et au dos D. Procéder de la même manière avec le côté fermé C.
- Visser le plancher A qui dépasse de ⅛ po de chaque côté et de ¼ po, de la façade et du dos.
- Prendre soin de prévoir l'angle du joint avec la partie arrière. Cette partie excède d'environ ¼ po en façade. Mettre le toit en place : les morceaux E et F. Coller en premier lieu la partie droite E et visser.
- Visser le toit arrière qui excède de ¼ po.
- Percer les 2 trous d'aération de ¼ po au dos D.
- Fabriquer les cinq roues.
- Unir deux paires de roues en y insérant les goujons.
- Clouer la cinquième roue sur le plancher, à l'arrière.
- Fixer l'air climatisé et le porte-bagages sur le toit.
- Attacher les deux paires de roues à la base à l'aide de minuscules clous à finition de ½ po.
- Appliquer deux couches de peinture pour l'extérieur, de préférence blanche.
- Coller les bandes autocollantes.
- Suspendre cette petite merveille à l'aide de deux minuscules œillets vissés dans le toit, en ayant soin de ne jamais orienter l'ouverture vers le sud. Heureusement, début juillet, les hirondeaux sont envolés.

Le débitage

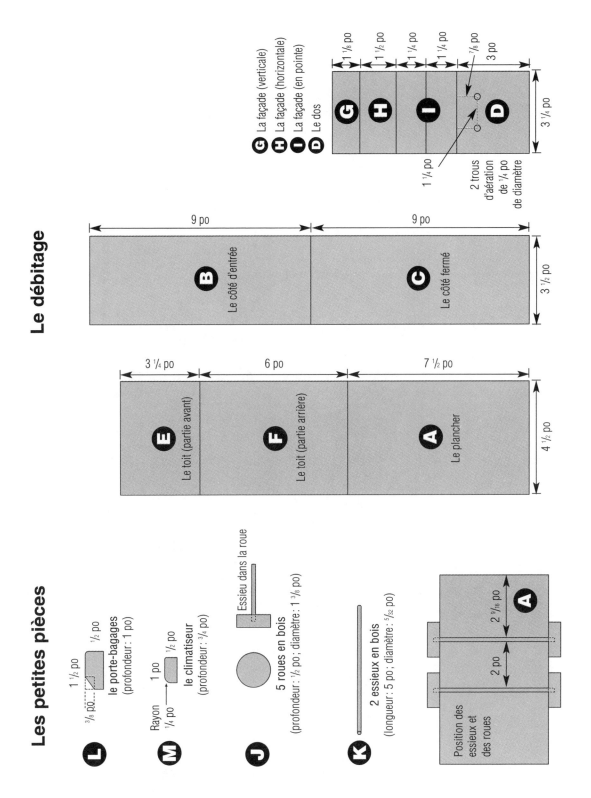

G La façade (verticale)
H La façade (horizontale)
I La façade (en pointe)
D Le dos

1 ¹/₈ po
1 ¹/₂ po
1 ¹/₄ po
1 ¹/₄ po
⁷/₈ po
3 po
3 ¹/₄ po

1 ¹/₄ po

2 trous d'aération de ¹/₄ po de diamètre

9 po — **B** Le côté d'entrée
9 po — **C** Le côté fermé
3 ¹/₂ po

3 ¹/₄ po — **E** Le toit (partie avant)
6 po — **F** Le toit (partie arrière)
7 ¹/₂ po — **A** Le plancher
4 ¹/₂ po

Les petites pièces

L le porte-bagages (profondeur : 1 po)
1 ¹/₂ po
¹/₂ po
³/₈ po

M le climatiseur (profondeur : ³/₄ po)
Rayon
1 po
¹/₄ po
¹/₂ po

J 5 roues en bois (profondeur : ¹/₂ po ; diamètre : 1 ³/₈ po)
Essieu dans la roue

K 2 essieux en bois (longueur : 5 po ; diamètre : ⁵/₃₂ po)

A Position des essieux et des roues
2 ⁹/₁₆ po
2 po

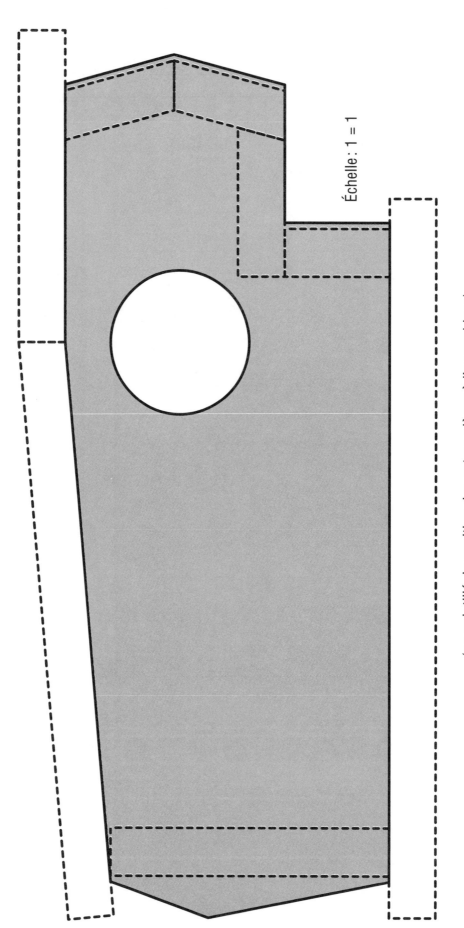

Dessin-guide pour le découpage des deux pièces de côté
(l'une avec un trou d'entrée, l'autre sans trou)

Important: pour conserver ce dessin original intact, photocopiez-le et travaillez à partir des duplicatas.

Échelle : 1 = 1

(en pointillé, la position des autres pièces à l'assemblage)

La bascule

Que recherche le moineau comme site de nidification dans l'entourage de l'homme? Un nichoir avec un diamètre d'ouverture assez grand, beaucoup d'espace, de la pénombre. Voici donc une autre trouvaille destinée à favoriser les hirondelles bicolores. Vous en avez aperçu quelques-unes que vous aimeriez bien héberger, mais il y a ces insistants moineaux dans les parages. Comment attirer les unes et repousser les autres? À l'aide d'une cabane munie d'une entrée à mouvement pendulaire! Le moineau, qui est un oiseau percheur, tentera de s'agripper à cette entrée, mais l'oscillation l'empêchera d'y arriver; l'hirondelle, de son côté, apprendra à pénétrer dans la cabane sans rien toucher ou presque.

On peut faire varier l'oscillation de l'entrée à l'aide d'un poids réglable situé en dessous. Quand le moineau se présente, le poids est réglé de façon que l'entrée oscille au maximum; si c'est l'hirondelle, il doit être réglé de façon qu'elle puisse osciller seulement d'un à deux centimètres au début, découvrant la seconde ouverture par laquelle l'oiseau peut s'engouffrer. On règle le poids pour que les deux ouvertures soient bien vis-à-vis et l'hirondelle finit par s'adapter à ce curieux type d'entrée.

De plus, comme le moineau cherche discrétion et pénombre, laissez donc pénétrer la lumière à flots. Ouvrez l'habitation aux quatre vents. En plus de l'entrée principale, percez deux hublots de 2,5 cm (1 po) de chaque côté. Tout cet éclairage éloignera l'intrus. Par ces ouvertures, les jeunes hirondeaux passeront la tête pour recevoir la becquée quand ils auront grandi, épargnant temps et énergie à leurs parents.

Le dôme est en métal, de forme arrondie, empêchant le moineau de s'y percher pour piailler à la saison des amours.

L'hirondelle bicolore, elle, examinera sous toutes ses coutures cette minimaisonnette, un vrai palais de poupée. Battant des ailes, elle ne se perchera pas, ne s'agrippera pas au perchoir comme le ferait le moineau. Pas un recoin n'échappera à son inspection. Laissez-lui le temps de s'y habituer. Elle ira d'abord chercher ailleurs, puis ne trouvant pas d'autre logis disponible, elle reviendra. Quand elle aura finalement découvert l'astuce, elle se débrouillera bien vite pour entrer.

La société Hironbec de Mont-Saint-Hilaire a réalisé cet ingénieux dispositif. Dans des milieux urbains infestés de moineaux, les résultats après quatre ans d'expérimentation sont mirobolants: un taux de 85 % de réussite pour les bicolores, et pas un seul moineau n'a réussi à franchir l'obstacle.

Pour fabriquer pareille merveille, il vous faut être un bricoleur expert et adroit. Mais ce procédé révolutionnaire est tellement efficace que nous n'hésitons pas à vous le recommander, inconditionnellement. Vous trouverez, dans le premier cahier de photos, un cliché qui illustre bien l'ingéniosité de ce nichoir.

Diamètre de 1 ½ po

Diamètre de 1 po

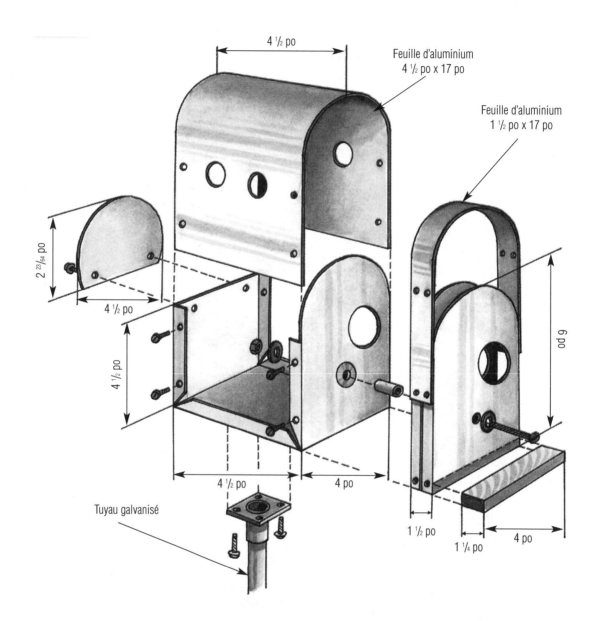

4 ½ po

Feuille d'aluminium
4 ½ po x 17 po

Feuille d'aluminium
1 ½ po x 17 po

2 ²³/₆₄ po

4 ½ po

4 ½ po

6 po

4 ½ po

4 po

Tuyau galvanisé

1 ½ po

1 ¼ po

4 po

Matériaux

- 1 feuille d'aluminium de 4 ½ po x 17 po
- 1 feuille d'aluminium de 1 ½ po x 17 po
- 1 tuyau galvanisé
- vis, boulons, etc.

Outils

- Tous ceux qu'utilise un bricoleur débrouillard. Nous ne sommes pas des menuisiers, uniquement des inventifs qui vous font des suggestions.

Le nichoir dans la fenêtre

Réjean Nault, un résident de Saint-Denis-sur-Richelieu aux prises avec des moineaux qui venaient déranger ses hirondelles nicheuses, a fabriqué un ingénieux nichoir en plastique souple qu'il a fixé à la fenêtre de sa salle à manger. Le nichoir installé, pour ne pas effrayer les oiseaux, il a placé un papier noir sur la vitre qu'il a retiré dès qu'elles se sont habituées à leur nouvelle résidence. Les hirondelles y ont pondu leurs œufs et y ont élevé leurs cinq petits sans être ennuyées par les moineaux. Pour le fixer au châssis de la fenêtre, alors que Réjean et moi nous apprêtions à nous servir de vis et de clous, France, toujours débrouillarde, a suggéré des bandes de velcro pour éviter d'abîmer le cadrage.

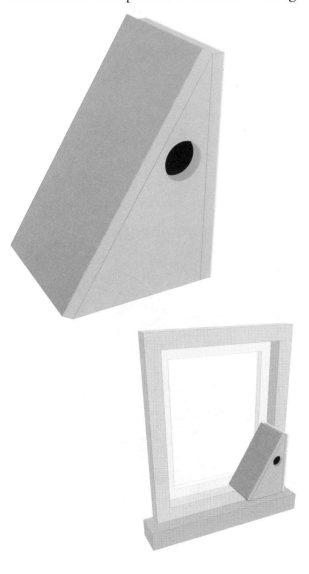

Le débitage

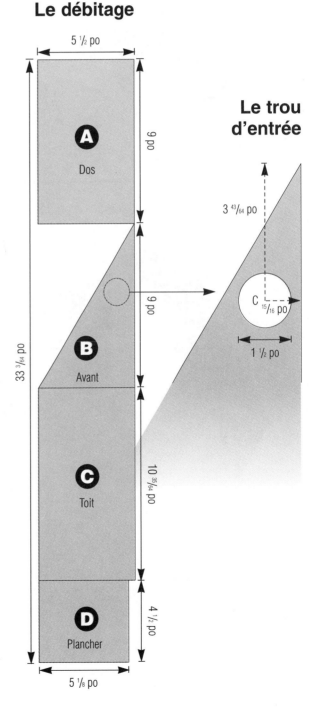

5 ½ po

A
Dos

9 po

33 ³/₆₄ po

9 po

B
Avant

C
Toit

10 ³⁵/₆₄ po

D
Plancher

4 ½ po

5 ⅛ po

Le trou d'entrée

3 ⁴³/₆₄ po

C ¹⁵/₁₆ po

1 ½ po

Matériaux
• 1 planche de 5 ⅛ po x 34 po x ½ po
• clous
• velcro : 5 po

Outils
• ceux dont vous disposez

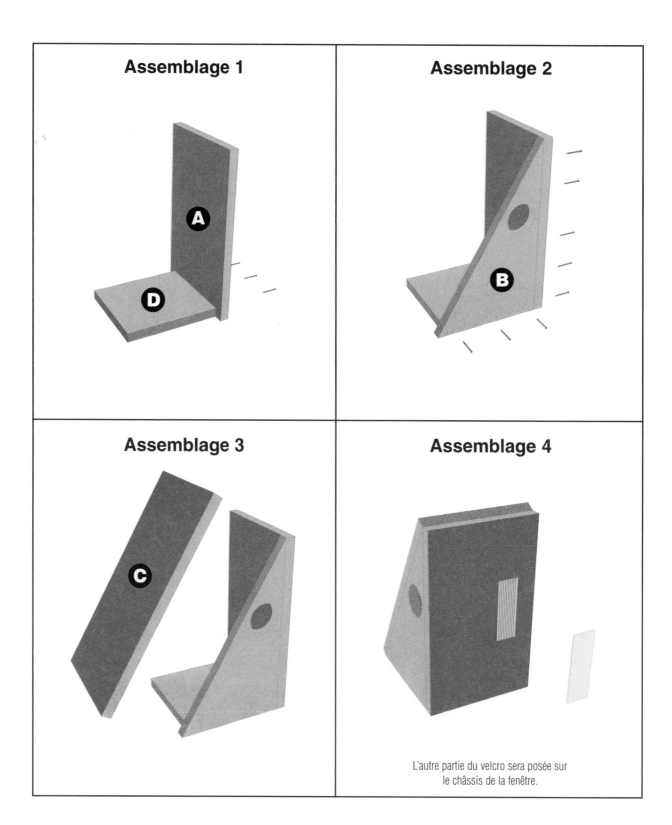

Assemblage 1

Assemblage 2

Assemblage 3

Assemblage 4

L'autre partie du velcro sera posée sur
le châssis de la fenêtre.

CHAPITRE IV

L'hirondelle noire ou pourprée

Se faire réveiller par le gazouillis des hirondelles noires, c'est presque apprendre à ne plus pouvoir se passer de ces oiseaux. Votre vie ne sera plus jamais la même après en avoir hébergé une colonie. Votre cœur bat à leur rythme de vie. Quand ils partent en migration, vous cessez presque d'exister. Vous les suivez en imagination dans leurs longues pérégrinations : de l'extrémité des Grands Lacs en passant par la Floride, les Antilles — nous en avons rencontrées, un 2 janvier, en république Dominicaine —, l'Amérique du Sud, l'Amazonie jusqu'aux grandes fermes du Brésil.

Pendant ce temps, l'hiver s'installe dans l'est du Canada. Puis le printemps arrive. Un matin, l'alizé semble souffler sur le Québec, l'air est plus doux, le temps plus chaud. Un éclaireur gazouille sur un toit. C'est presque toujours le même, celui qui fut le premier à habiter votre nichoir. Vous installez le système de chauffage dans l'habitacle (deux ampoules de 100 watts posées dans un compartiment métallique et hermétique sous le nichoir), puis vous attendez… Souvent, ces hérauts du printemps se sont trop hâtés de revenir. Des giboulées chassent du ciel tous les insectes volants, nourriture exclusive des hirondelles. Au matin, les oiseaux jettent un œil morne à la porte du logis et retournent se coucher.

Vous ne cessez de vous tourmenter. Le mauvais temps va-t-il continuer ? Les hirondelles vont-elles survivre ? Vous savez qu'après quatre ou cinq jours, il n'y a plus d'espoir. La date fatidique approche. Puis, un beau matin, le soleil frileux et timide perce les nuages. Un oiseau s'aventure dehors. Le printemps est enfin arrivé. Les premières mouches dégelées recommencent à bourdonner aux fenêtres. La vie reprend.

Retour au bercail

Au printemps, les hirondelles occupent en premier les logements les mieux orientés et les mieux abrités, c'est-à-dire ceux dont les étages supérieurs sont sous le rebord du toit et donnent vers l'ouest, au soleil couchant, et ceux que visite le zéphyr, ce vent caractéristique de l'été. Les mâles éclaireurs reviennent toujours les premiers et au même endroit, afin de réserver des logements de choix.

Une cabane érigée sur un terrain en surplomb intéressera au plus haut point les futurs locataires. Vous aurez beaucoup de plaisir à les voir planer et esquisser une glissade sur l'aile. Le manège recommencera sans arrêt. Le plongeon des futurs parents est répété par toute l'assemblée présente, avec de nombreux encouragements vocaux et des variantes de parades pour éviter les obstacles. Ces jeux dureront des jours, tout le temps nécessaire pour se conditionner à procréer. N'oubliez pas que ces volatiles arrivent d'un voyage près de 20 000 km (12 500 milles): 10 000 km (6250 milles) à l'aller, pour atteindre la région de Sao Jose do Rio Preto au Brésil — où ils n'ont eu que quelques semaines pour récupérer et muer — et 10 000 km (6250 milles) pour revenir sur votre terrain. Quand les couples adultes arrivent, leur mue n'est pas encore terminée. On les reconnaît à la couleur des mâles. Seuls quelques touffes de duvet pointent ici et là. Ils éliront rarement domicile dans un nouveau logis. Ils préfèrent revenir dans le nichoir qui les a abrités l'année précédente, et souvent un bon mois avant de commencer les travaux de nidification.

Puis, leur progéniture de l'année précédente apparaît quelques semaines plus tard. Les oiseaux les plus forts et les plus belliqueux accaparent les logis encore disponibles dans la maison-mère. Les autres essaiment. Ce sont presque toujours eux qui s'établissent pour la première fois dans une nouvelle colonie. Cela se passe habituellement à la fin mai, parfois en juin. Notre colonie s'est établie un 24 juin. Il n'y avait aucun logis disponible aux alentours, et ces hirondelles cherchaient depuis au moins un mois.

Ensuite, pendant l'été, vous êtes témoin d'une vie de famille irréprochable: Maman couve et papa gazouille. Les petits voient le jour et les longues journées de 14 ou 16 heures se succèdent. Enfin, les petits sont prêts pour leurs premières leçons de vol auxquelles assistent et participent les membres du clan. Le premier vol est primordial. La moindre erreur ou fausse manœuvre, le moindre doute ou un début de panique, et l'expérience se termine en catastrophe. Fait inusité: après leur départ — contrairement à ce qui se passe chez toutes les autres espèces d'oiseaux du Québec — les jeunes de l'hirondelle reviennent habituellement dormir au nid quelques jours. Les parents les accompagnent et viennent les nourrir comme tombe la nuit. Ils ne dormiront pas avec eux, ce qu'ils ne font plus d'ailleurs depuis que les jeunes ont atteint l'âge de douze jours, âge auquel apparaissent les pennes rigides des plumes qui formeront les ailes et la queue. Et puis, un soir, les nids ne chantent plus...

L'INSTALLATION

Le rêve de tout bricoleur qui bâtit des nichoirs d'oiseaux est d'héberger un jour une colonie d'hirondelles noires aussi appelées «pourprées» à cause des reflets irisés sur leur plumage (du nom anglais *Purple Martin*).

L'amateur est toujours trop ambitieux quand il élabore un projet de logis pour ces oiseaux. Il veut construire 12, 24 logis, même plus, ou rien du tout! Pour vos débuts, nous vous invitons à suivre les conseils que nous avons appliqués lors de la construction du condo avec antichambre. Plus tard, vous penserez au Taverner.

Quelques conseils

- D'abord, pensez petit. N'ambitionnez pas d'imiter le fabricant qui produit les modèles les plus élaborés. Si la cabane compte beaucoup de compartiments, la structure n'en sera que plus lourde et plus difficile à installer. Or, il faut penser à installer ce type de nichoir en hauteur, hors de portée des prédateurs. Si vous fixez cette maison sur un mât ou si vous la suspendez, l'opération peut s'avérer compliquée. Prévoyez un dispositif d'ascenseur pour en faciliter l'accès.

- Chaque logis devra être doté d'une entrée individuelle. Sinon, en cas de problème au premier ou au dernier étage, vous serez obligé de déranger tous les étages. Vous risquez de perdre la colonie acquise à force de patience, d'attente et d'expérimentation.
- L'expérience nous a appris qu'il est préférable d'installer la cabane de façon à offrir la plus grande intimité possible. Les logis à l'intérieur desquels on voit risquent d'être boudés au profit des alcôves plus discrètes. Dans le condo avec antichambre, nous avons placé l'entrée de façon excentrique, ce qui laisse toute une partie du logis dans l'ombre, et les oiseaux peuvent s'y dissimuler. Une feuille de papier aluminium placée face à l'ouverture fait fuir les sansonnets.
- Nous suggérons également que les entrées ne soient pas situées à plus de 2 cm (¾ po) du plancher, sinon les hirondelles y amoncelleront de la boue et des feuilles pour réduire la hauteur, et il faudra nettoyer tout ça! Nous avons opté pour éliminer la partie inférieure du cercle.
- Nous avons souvent remarqué que deux ou trois oisillons, après leur vingtième journée, passent leur tête par l'entrée au moment des repas. Nous vous conseillons de pratiquer une ouverture assez large, idéalement de 40 mm (1 ½ po) de hauteur sur 65 mm (2 ½ po) de largeur. L'entrée peut devenir un élément déterminant dans l'établissement d'une colonie.
- Les compartiments ne doivent pas communiquer entre eux, sinon par les trous assurant la ventilation. Un porche ou un avant-toit est vivement conseillé pour protéger les logis de la pluie et du vent. De même le toit doit-il être tout à fait étanche. La pluie, plus que le hibou, est le pire ennemi de l'oisillon.

Pensez à l'orientation de la piste d'envol. L'aire d'atterrissage est bien moins importante pour ces oiseaux que le tremplin qu'emprunteront les petits lors de leur premier vol.
- L'accès au logis pour évincer les intrus doit être facile. Souvent le poteau qui supporte la maisonnette n'a pas été conçu pour y appuyer une échelle.
- Dernier conseil, nettoyez et barricadez la maisonnette dès le départ des hirondelles pour le sud. Au retour des premiers éclaireurs au printemps, empressez-vous de dégager l'ouverture de quelques compartiments et, si possible, chauffez ceux-ci.

Des garde-fous

Si le nid est infesté de poux, les jeunes ont tendance à vouloir le quitter trop tôt et s'aventurent sur le balcon où ils aiment déambuler. De plus, il y a toujours un adulte malfaisant prêt à pousser un jeune afin de lui donner sa première leçon de vol. Or, une hirondelle au sol ne sera pas nourrie par ses parents et est vouée à une mort certaine. Si vous la remettez au nid, vous risquez d'en faire envoler d'autres prématurément. Vous éviterez bien des accidents en installant des rampes protectrices sur les plates-formes extérieures. De petites tiges de bambou suffisent à fabriquer ces remparts.

Les perchoirs

Si les perchoirs sont à proscrire pour tous les logis unifamiliaux destinés aux autres oiseaux, dans le cas des hirondelles noires, il n'y en a jamais assez. Ils sont non seulement importants mais essentiels. De grandes tiges de bambou fixées aux balcons et dépassant de chaque côté font des perchoirs tout à fait appropriés. Vous pouvez aussi en fixer d'autres au toit.

L'OCCUPATION DES LIEUX

Que faire si un nichoir ne trouve pas preneur ? Il faut le déplacer ailleurs et, surtout, ne jamais se décourager. Cependant, on ne doit jamais changer l'emplacement d'une maison quand elle est déjà occupée. En voici un exemple probant. Au printemps, un de nos sorbiers des oiseleurs envahissait les abords de l'un des condominiums. Les écureuils se montraient entreprenants. Voulant éviter des incidents, nous avons éloigné l'habitation d'environ 6 m (20 pi). Tenter de comprendre ce qui s'est ensuite passé est bien difficile pour des humains. La nidification de cinq ou six couples était déjà très avancée. Les hirondelles volaient sur place, comme des sternes, des crécerelles ou des martins-pêcheurs, à l'endroit exact où leur demeure se trouvait auparavant. Nous leur faisions de grands gestes comme pour leur dire : « Votre maison est là, tout à côté. » Mais pas un seul couple ne la réintégra.

Un phénomène similaire s'est produit le jour où nous avons déplacé l'abreuvoir à colibri à environ 60 cm (2 pi), dans le but de mieux le voir lorsque nous étions assis à la table de la salle à manger. Les oiseaux ne le retrouvèrent plus. Une fois l'abreuvoir remis à sa place originale, leur instinct le leur fit retrouver.

Ces exemples montrent comment procéder avec une colonie. Lorsqu'une cabane devient trop vétuste ou délabrée, vous êtes souvent porté à la remplacer, ce qui est une grave erreur. Installez la nouvelle maison à côté de la vieille et laissez les oiseaux décider. Si vous leur laissez le choix, les adultes retourneront dans leur taudis, mais les jeunes iront habiter la nouvelle maison. N'ayez crainte, ils y reviendront l'année suivante.

La présence des moineaux

Beaucoup de gens tolèrent la présence d'un ou deux couples de moineaux dans la maison des pourprées. Évitez à tout prix une telle situation.

À leur arrivée, fin d'avril, les pourprées réintègrent le toit communal. Elles ne s'adonnent alors à aucune activité bien définie. Elles flânent, folâtrent, récupèrent et pique-niquent. Départ à l'aube, retour à la brunante. Le centre d'intérêt de papa moineau est le toit familial, alors que l'hirondelle noire délaisse sa maison des jours durant et ne commence la couvaison que lorsque la ponte est terminée. La catastrophe est facile à entrevoir. Si vous retrouvez des œufs sous votre porche ou sous la cabane, vous devinerez aisément qui est le coupable. Surveillez bien les moineaux autour des logis. Le troglodyte familier est un ange comparé à ce démon !

La Nature Society News, qui héberge la plus importante colonie de pourprées à Griggsville, en Illinois, a tenté de faire cohabiter ces deux espèces. L'aventure a été abandonnée en pleine saison, les résultats étant désastreux. Les pontes avaient diminué de façon effroyable, et les nids abandonnés ou détruits pullulaient. Mais la Nature Society News a inventé un abri en aluminium, invention que nous avons découverte il y a sept ans. Ce fut la révélation. Un treuil mécanique permet d'élever ou d'abaisser l'habitacle en un clin d'œil, et un dispositif ingénieux remplace, en un tour de main, la porte conventionnelle par une autre à entrée plus étroite, laissant passer le moineau mais pas l'hirondelle. Cette porte est un piège. Quand le moineau y pose une patte, une trappe ferme l'entrée derrière lui. Une fixation munie d'un sac transparent, donnant au moineau l'illusion de reconquérir sa liberté, aide à le faire sortir sans même y toucher. L'aération, l'égouttement, le double fond, les garde-fous, l'étanchéité, tout a été pensé. Nous avons converti toute notre colonie à cette habitation. Le seul inconvénient majeur : son prix. Nous vous suggérons donc des maisons avec les mêmes qualités mais plus économiques.

Le tarin des pins (qu'on appelait jadis le chardonneret des pins) visite une mangeoire en hiver.

Deux mâles cardinaux à poitrine rose à la mangeoire rapproche-oiseaux (plan p. 86).

Un couple de gros-becs errants à « la gloutonne » (plan p. 91).

Un geai bleu, le matamore à la mangeoire.

LES NICHOIRS POUR L'HIRONDELLE NOIRE

Les hirondelles noires nichent en colonie. Leur construire un nichoir convenable est donc un problème : on ne parle plus d'une simple cabane, mais plutôt d'un véritable immeuble à logis multiples. Certes les colonies ne comptent plus des centaines d'hirondelles comme autrefois, mais il faut être en mesure d'héberger quelques dizaines d'oiseaux.

La tentation est grande d'acheter du tout fait, ces luxueux condos à faire pâlir de jalousie n'importe quel bricoleur. Mais il y a moyen de relever le défi sans recourir au préfabriqué. Et quelle satisfaction quand on parvient à attirer dans une habitation qu'on a bâtie de ses mains quelques locataires gracieux et gazouillants qui en quelques mois doubleront ou tripleront leur population sous vos yeux !

Le condo avec antichambre

France, ma collaboratrice, a été la première à me faire remarquer combien les hirondelles cherchaient à préserver leur intimité. Dans notre sanctuaire, la véranda était à la même altitude que la colonie d'hirondelles noires, mais nous apercevions rarement les nids. Ils étaient construits dans le coin le plus reculé et le plus obscur de l'habitacle. Cette constatation nous a poussés à élaborer cette habitation d'autant plus qu'un jour, un grand duc est venu attaquer un des logis. Pour éviter qu'une telle tragédie se reproduise, nous avons érigé une barrière factice. Quant au hibou, sa patte n'est pas assez longue pour saisir les oisillons.

Quand nous sommes partis pour notre grande aventure en Amérique du Nord, nous avons créé une fondation dont nous avons confié l'administration aux autorités du village de Saint-Placide. Les responsables ont fait élever une tour de 12 m (40 pi) et y ont installé nos 200 condos. Depuis vingt ans, la colonie y revient toujours. Cette année, le village de Saint-Placide a été proclamé la capitale des hirondelles noires de la province de Québec.

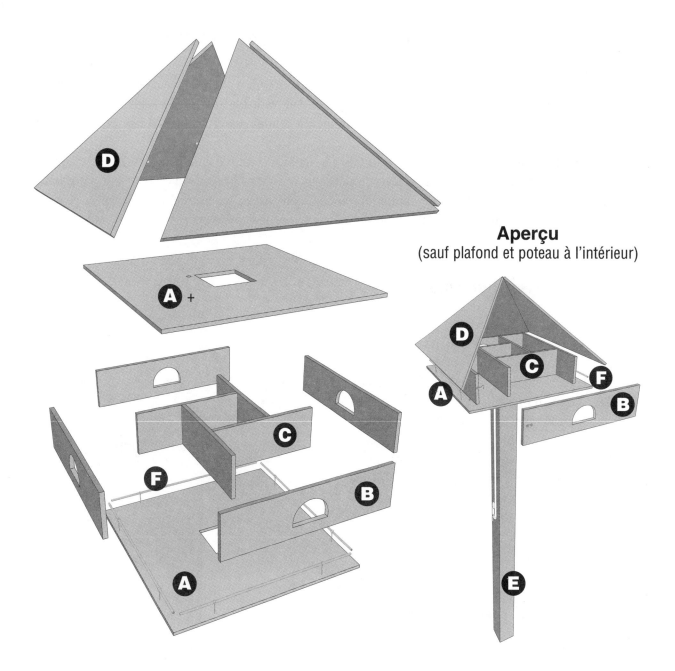

Aperçu
(sauf plafond et poteau à l'intérieur)

Matériaux

- 1 feuille de contreplaqué de 20 po x 32 ½ po x ½ po
- 1 feuille de contreplaqué de 19 po x 67 po x ⅜ po
- 1 feuille de contreplaqué de 2 pi x 4 pi x ⅜ po
- 4 baguettes en bois rond de 22 po x ¼ po de diamètre
- 1 poteau de 16 pi de long
- 8 œillets de 2 po de haut et ¼ po de diamètre
- 4 crochets
- clous
- 1 corde de ⅜ po de diamètre

- 1 poulie
- 4 roulettes
- 1 taquet

Outils

- emporte-pièce de ½ po
- banc de scie à angles
- sableuse
- tous les usuels

Le débitage du toit
(feuille de contreplaqué de ³⁄₈ po d'épaisseur)

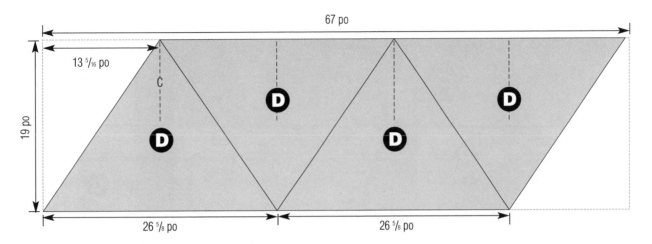

67 po

13 ⁵⁄₁₆ po

19 po

C

D

D

D

D

D

26 ⁵⁄₈ po

26 ⁵⁄₈ po

Le débitage des murs
(feuille de contreplaqué de ½ po d'épaisseur)

32 ½ po

5 po

5 po

5 po

5 po

20 po

B   **C**

B   **C**

B   **C**

B   **C**

19 ½ po

13 po

Regroupement des murs

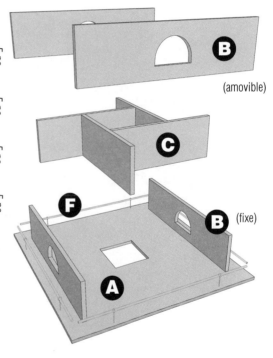

B

(amovible)

C

F

B (fixe)

A

Le poteau
(biseautage)

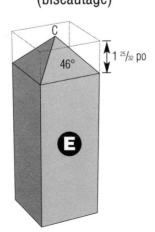

C

46°

1 ²⁵⁄₃₂ po

E

Le toit pyramidal

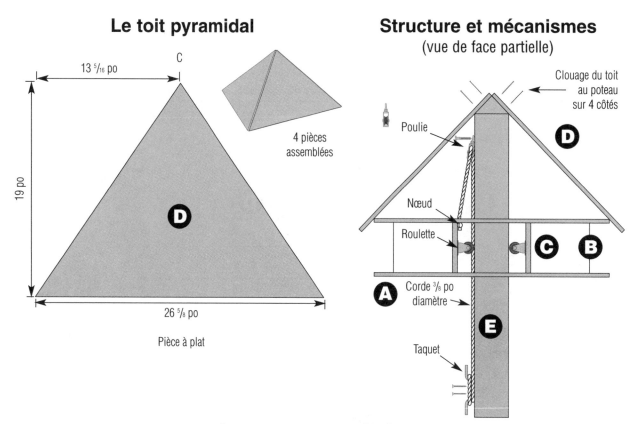

13 ⁵/₁₆ po

C

19 po

D

26 ⁵/₈ po

Pièce à plat

4 pièces
assemblées

Structure et mécanismes
(vue de face partielle)

Clouage du toit
au poteau
sur 4 côtés

Poulie

D

Nœud

Roulette

C   **B**

A   Corde ³/₈ po
diamètre

E

Taquet

Les rampes-perchoirs

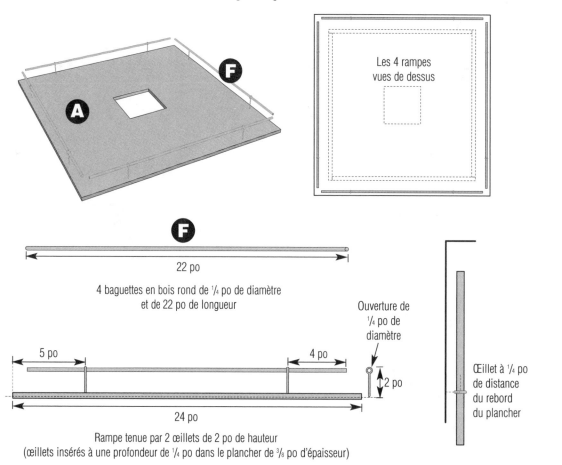

F

A

Les 4 rampes
vues de dessus

F

22 po

4 baguettes en bois rond de ¹/₄ po de diamètre
et de 22 po de longueur

Ouverture de
¹/₄ po de
diamètre

5 po

4 po

2 po

24 po

Œillet à ¹/₄ po
de distance
du rebord
du plancher

Rampe tenue par 2 œillets de 2 po de hauteur
(œillets insérés à une profondeur de ¹/₄ po dans le plancher de ³/₈ po d'épaisseur)

Assemblage 1
Plancher et plafond
(coupés dans une feuille de contreplaqué de 2 pi x 4 pi et de ⅜ po d'épaisseur)

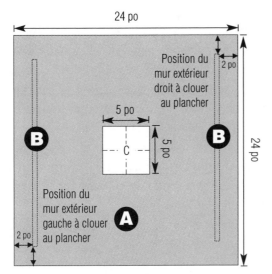

24 po

Position du mur extérieur droit à clouer au plancher

2 po

5 po

5 po

C

24 po

B

B

Position du mur extérieur gauche à clouer au plancher

A

2 po

Plancher

24 po

Trou de ½ po de diamètre (à ½ po du cadre central) percé près du mur intérieur pour le passage de la corde

C

24 po

A +

Plafond

Assemblage 2
Les murs extérieurs
(assemblés à l'aide de crochets aux 4 coins)

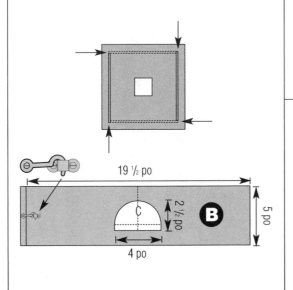

19 ½ po

2 ½ po

C

B

5 po

4 po

Assemblage 3
Les murs intérieurs sur roulettes

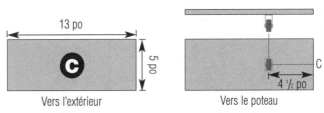

13 po

C

5 po

C

4 ½ po

Vers l'extérieur

Vers le poteau

Assemblage 4
Disposition des murs intérieurs
(vue de dessus, sans toit)

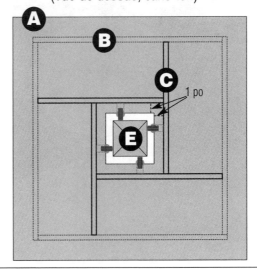

A

B

C

1 po

E

Le Taverner ou le Lego des pros

L'une des plus jolies maisonnettes d'oiseaux qu'il nous ait été donné d'admirer est celle du maître d'œuvre P. A. Taverner. C'était l'ornithologue officiel du Service canadien de la faune du Canada dans les années 1930.

Les plans de cette construction se trouvaient à l'origine dans une petite brochure distribuée gratuitement, qui avait pour titre : « Maisons d'oiseaux et leurs occupants ». Cependant, le système utilisé pour l'élever et l'abaisser à volonté ressemblait à celui des fenêtres à guillotine. Les poids métalliques montaient et descendaient dans les glissières en bois et se coinçaient quand le bois exposé à l'humidité gonflait. En désespoir de cause, les concepteurs l'installaient au bout d'un mât à bascule. Impossible alors d'évincer les indésirables. Les moineaux finissaient par déloger les hirondelles noires.

France et moi avions toujours rêvé de découvrir un jour un bricoleur capable de moderniser ce plan. Notre ami Robert Lapointe s'est proposé et a réussi un tour de force. Il a inventé des murs séparateurs, constituant ainsi un jeu d'encastrement apparenté au Lego de notre enfance. France l'a baptisé le « Lego des pros ».

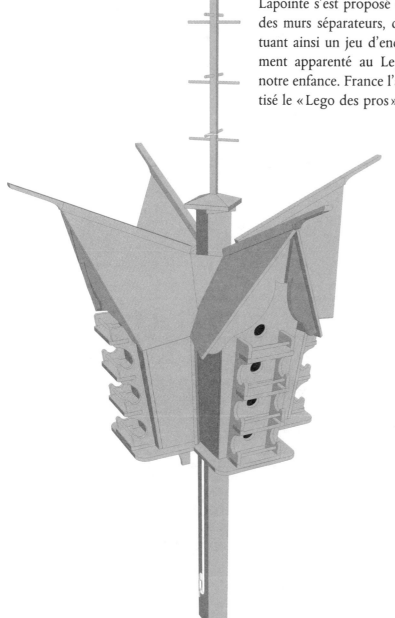

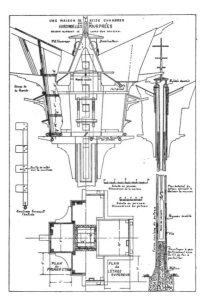

Débitage 1

(feuille de contreplaqué de 4 pi x 8 pi et de ½ po d'épaisseur)

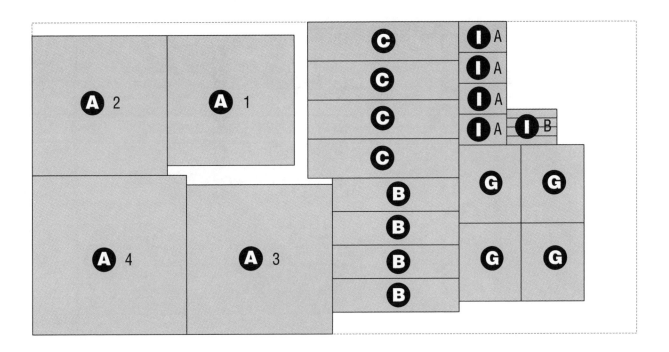

Matériaux

- 2 feuilles de contreplaqué de 4 pi x 8 pi x ½ po
- 1 feuille de contreplaqué de 3 ½ pi x 5 pi x ⅜ po
- 1 poulie
- 1 corde excédant de quelques pieds la longueur du poteau
- 4 roulettes
- 1 taquet
- 1 œillet
- 2 tiges de fer
- 2 poutres d'appui
- colle
- clous
- vis

Outils

- sableuse électrique (pour ajuster les joints)
- banc de scie à angles (pour découper les pièces du toit)
- scie ronde
- emporte-pièce de 2 ½ po

Débitage 2
(feuille de contreplaqué de 4 pi x 8 pi et de ½ po d'épaisseur)

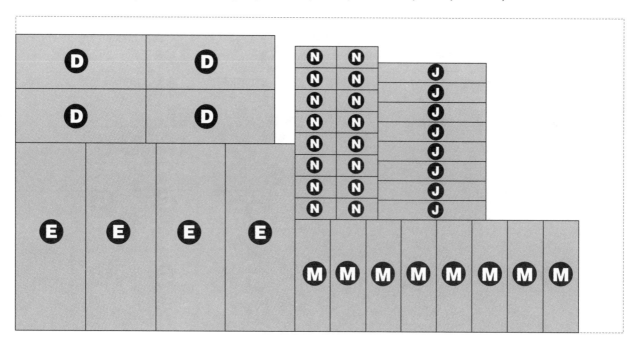

Débitage 3 (toit et pointes)
(feuille de contreplaqué de 4 ½ pi x 5 pi et de ⅜ po d'épaisseur)

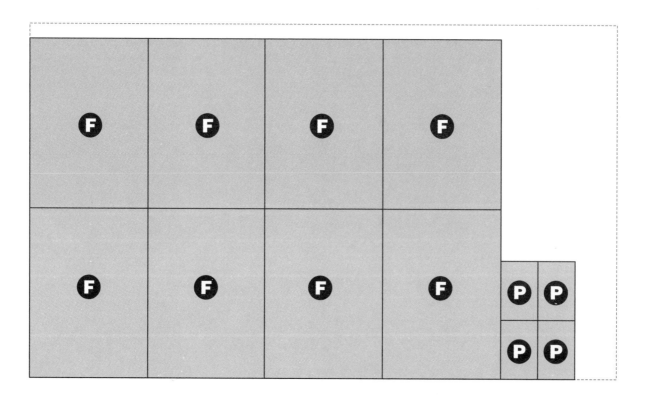

Le premier plancher

A 1

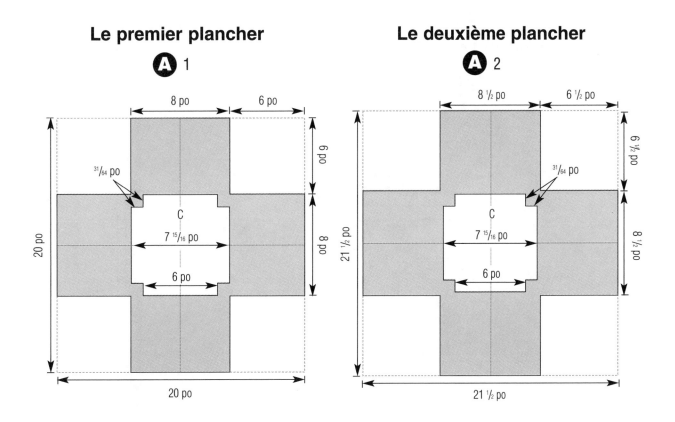

Le deuxième plancher

A 2

Le troisième plancher

A 3

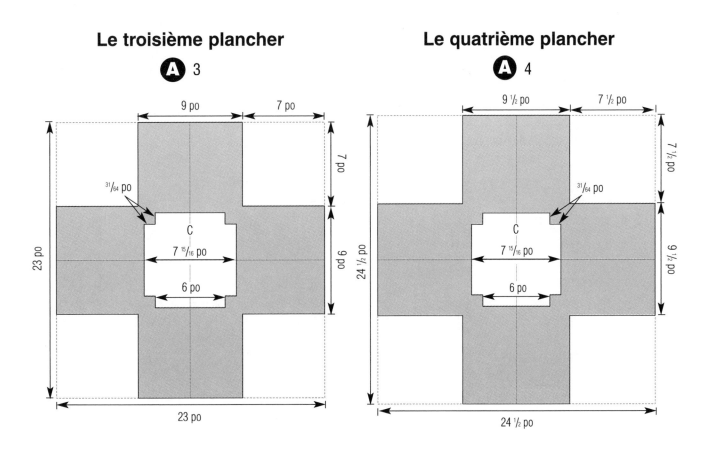

Le quatrième plancher

A 4

Le parterre
(à partir de 4 pièces identiques)

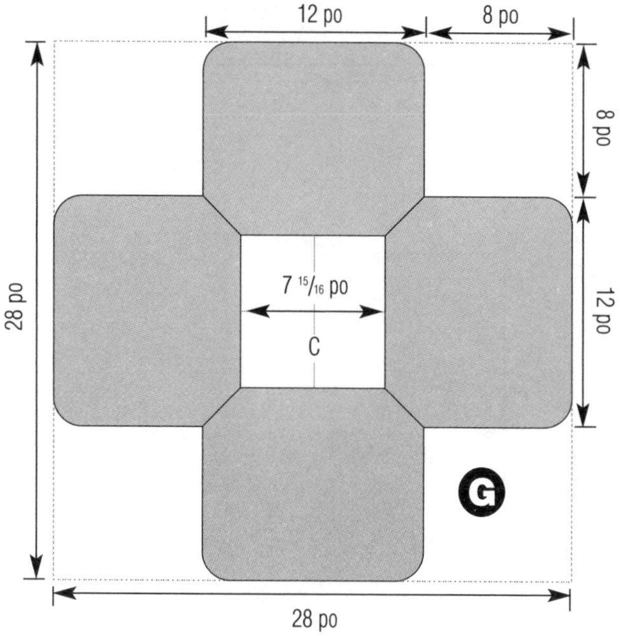

12 po · 8 po

8 po

12 po

28 po

7 15/16 po

C

28 po

G

Le poteau 4 x 4
(3 ½ po x 3 ½ po)

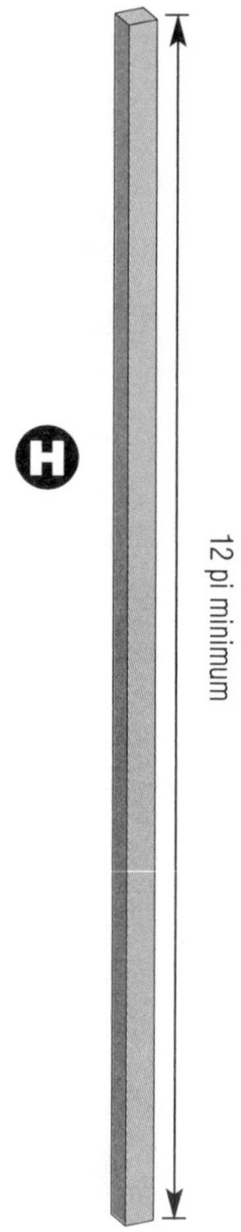

H

12 pi minimum

4 pièces ornementales
(sous le parterre)

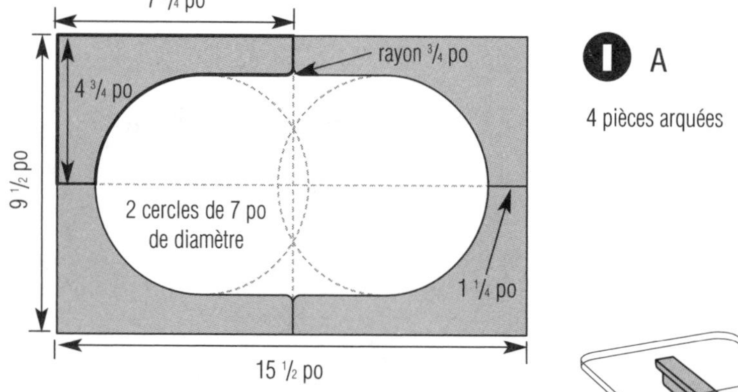

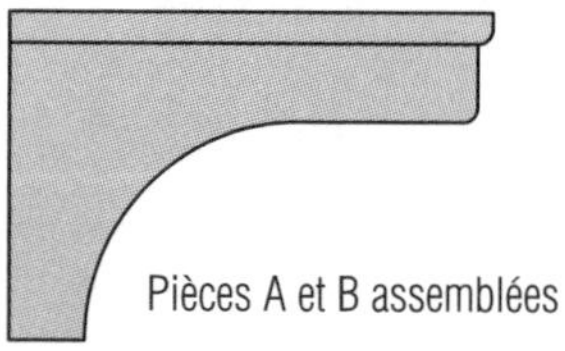

7 ¾ po

rayon ¾ po

4 ¾ po

9 ½ po

2 cercles de 7 po
de diamètre

1 ¼ po

15 ½ po

I A

4 pièces arquées

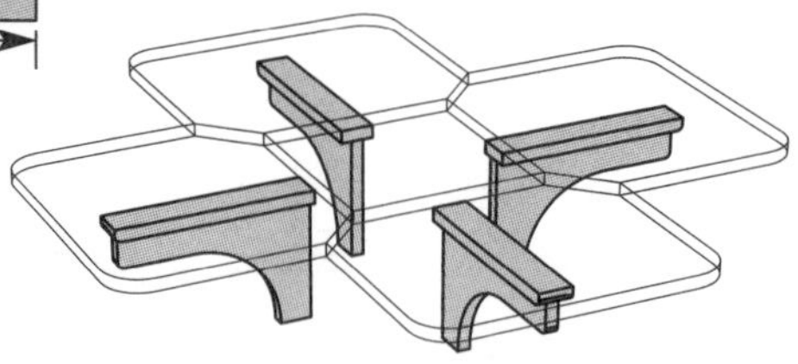

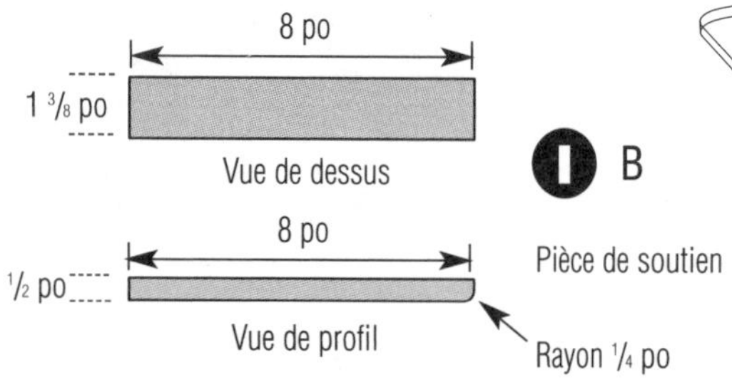

8 po

1 ⅜ po

Vue de dessus

I B

8 po

½ po

Vue de profil

Pièce de soutien

Rayon ¼ po

Pièces A et B assemblées

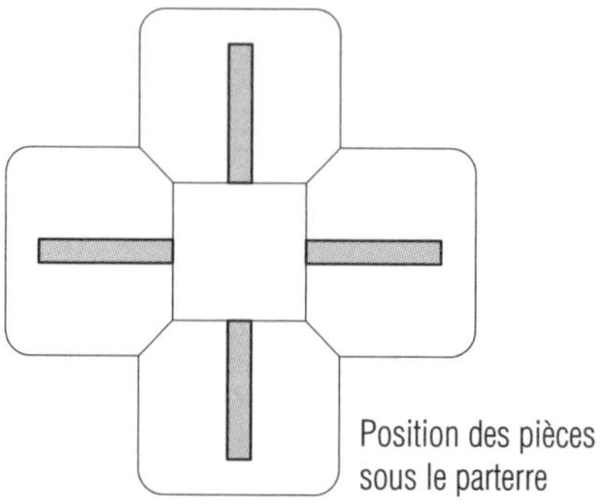

Position des pièces
sous le parterre

Position des roulettes
(sur le puits)

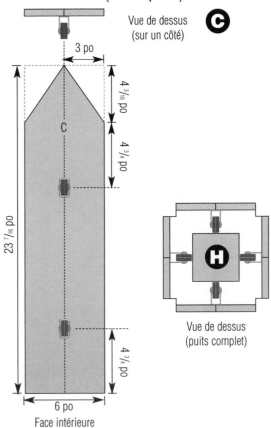

Vue de dessus
(sur un côté) **C**

3 po

4 ³/₁₆ po

4 ³/₄ po

C

23 ⁷/₁₆ po

4 ³/₄ po

6 po

Face intérieure

Vue de dessus
(puits complet)

H

Les murs d'entrée

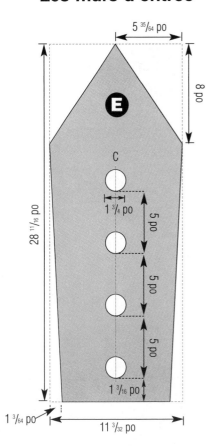

5 ³⁵/₆₄ po

8 po

E

C

1 ³/₄ po

5 po

5 po

5 po

28 ¹¹/₁₆ po

1 ³/₁₆ po

1 ³/₆₄ po

11 ³/₃₂ po

Les murs séparateurs

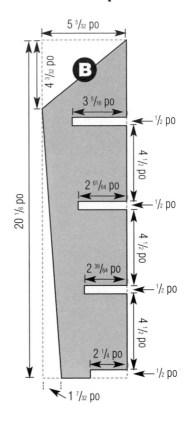

5 ⁵/₃₂ po

4 ³/₃₂ po

B

3 ⁵/₁₆ po

½ po

4 ½ po

2 ⁶¹/₆₄ po

½ po

4 ½ po

20 ¹/₈ po

2 ³⁹/₆₄ po

½ po

4 ½ po

2 ¼ po

½ po

1 ⁷/₃₂ po

Le puits

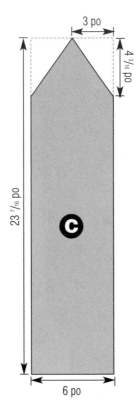

3 po

4 ³/₁₆ po

23 ⁷/₁₆ po

C

6 po

Les murs extérieurs

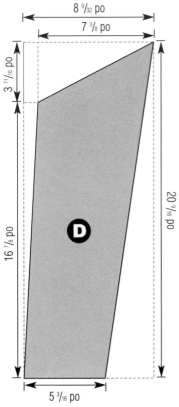

8 ⁹/₃₂ po

7 ³/₈ po

3 ¹¹/₁₆ po

16 ⁷/₈ po

D

20 ⁹/₁₆ po

5 ³/₁₆ po

Les balcons étagés

5 9/16 po

2 39/64 po 2 61/64 po

5/8 po dia.

1 5/8 po

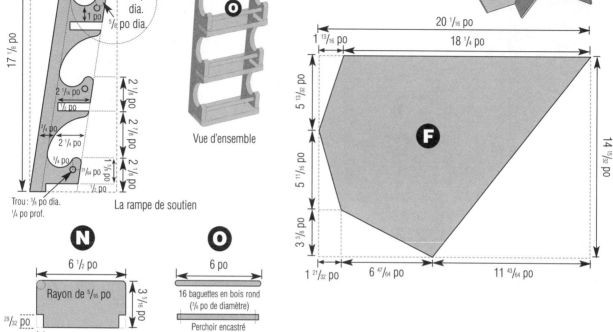

M

3/4 po dia.

Cercles de construction
5 1/2 po dia.

1 21/32 po dia.

5/8 po dia.

1 po

17 1/8 po

M

N

O

2 1/16 po

1/2 po

3/4 po

2 1/4 po

3/4 po

31/64 po

1/2 po

2 1/8 po

2 7/8 po

2 1/8 po

5/8 po

Trou : 3/8 po dia.
1/4 po prof.

La rampe de soutien

Vue d'ensemble

N

6 1/2 po

Rayon de 5/16 po

29/32 po

1/2 po

3 5/16 po

Le balcon

O

6 po

16 baguettes en bois rond
(3/8 po de diamètre)

Perchoir encastré
(1/4 po à l'intérieur de chaque rampe)

Le perchoir

Le toit

20 1/16 po

1 13/16 po

18 1/4 po

5 13/32 po

5 11/16 po

3 3/8 po

F

14 15/32 po

1 21/32 po   6 47/64 po   11 43/64 po

Les pointes de toit

7 po

C

P

4 1/2 po

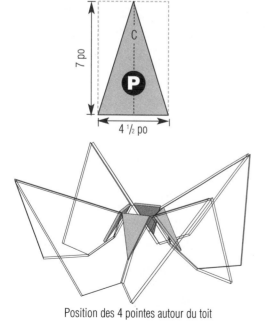

Position des 4 pointes autour du toit

La frise du toit

J

Cercle
2 3/4 po dia.

Ovale
11 po x 8 po

3 3/4 po

C

7/8
po

Ovale
5 1/2 po x 3 po

1 3/8 po

5/16 po

2 11/16 po

Cercle
2 1/2 po dia.

Construction géométrique de la pièce

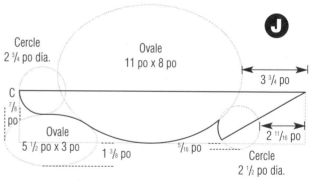

17 po

3 po

29°

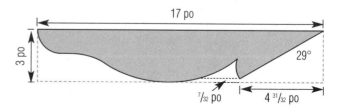

7/32 po   4 31/32 po

Perchoirs de toit

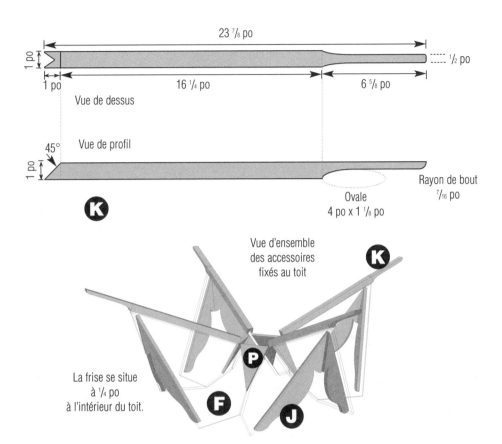

23 ⁷/₈ po

1 po   ¹/₂ po

1 po   16 ¹/₄ po   6 ⁵/₈ po

Vue de dessus

Vue de profil

45°

1 po

K

Ovale
4 po x 1 ¹/₈ po

Rayon de bout
⁷/₁₆ po

Vue d'ensemble
des accessoires
fixés au toit

K

La frise se situe
à ¹/₄ po
à l'intérieur du toit.

P

F

J

Le perchoir central
(au sommet du poteau)

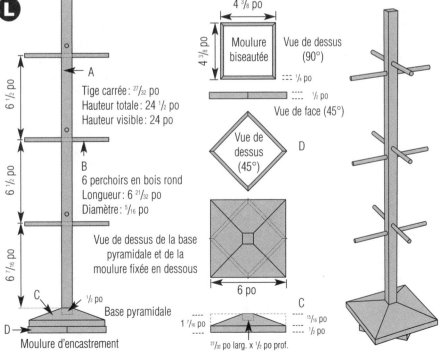

Vue de profil

Vue 3D

L

6 ¹/₂ po

A

Tige carrée : ²⁷/₃₂ po
Hauteur totale : 24 ¹/₂ po
Hauteur visible : 24 po

6 ¹/₂ po

B

6 perchoirs en bois rond
Longueur : 6 ²¹/₃₂ po
Diamètre : ⁵/₁₆ po

6 ⁷/₁₆ po

Vue de dessus de la base
pyramidale et de la
moulure fixée en dessous

C

¹/₂ po

Base pyramidale

D

Moulure d'encastrement

4 ³/₈ po

4 ³/₈ po   Moulure
biseautée   Vue de dessus
(90°)

¹/₄ po

¹/₂ po

Vue de face (45°)

Vue de
dessus
(45°)   D

6 po

C

1 ⁷/₁₆ po   ¹⁵/₁₆ po

¹/₂ po

²⁷/₃₂ po larg. x ¹/₂ po prof.

Le socle

Mécanisme de poulie
(vue de face, partielle)

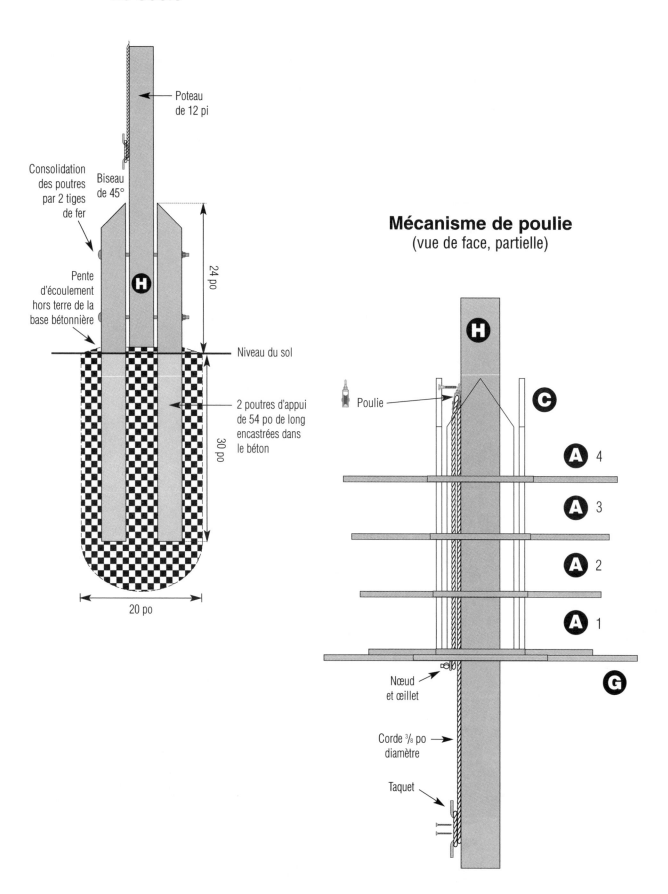

Poteau
de 12 pi

Consolidation
des poutres
par 2 tiges
de fer

Biseau
de 45°

Pente
d'écoulement
hors terre de la
base bétonnière

24 po

30 po

20 po

Niveau du sol

2 poutres d'appui
de 54 po de long
encastrées dans
le béton

Poulie

Nœud
et œillet

Corde ³/₈ po
diamètre

Taquet

Ordre des planchers

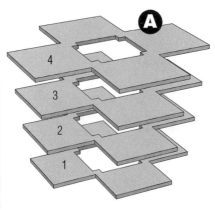

Assemblage 1
Murs séparateurs et planchers

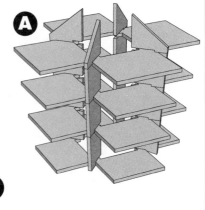

Assemblage 2
Le puits

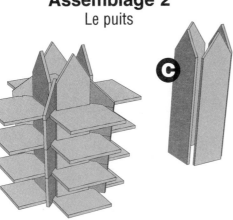

Assemblage 3
Les murs extérieurs

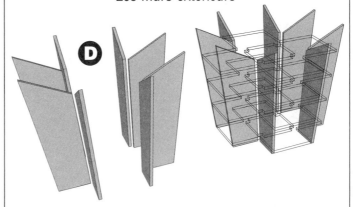

Assemblage 4
Les murs d'entrée

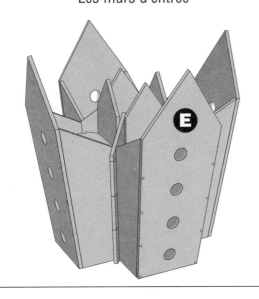

Assemblage 5
Le toit

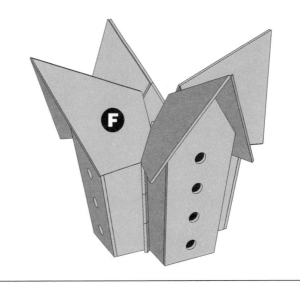

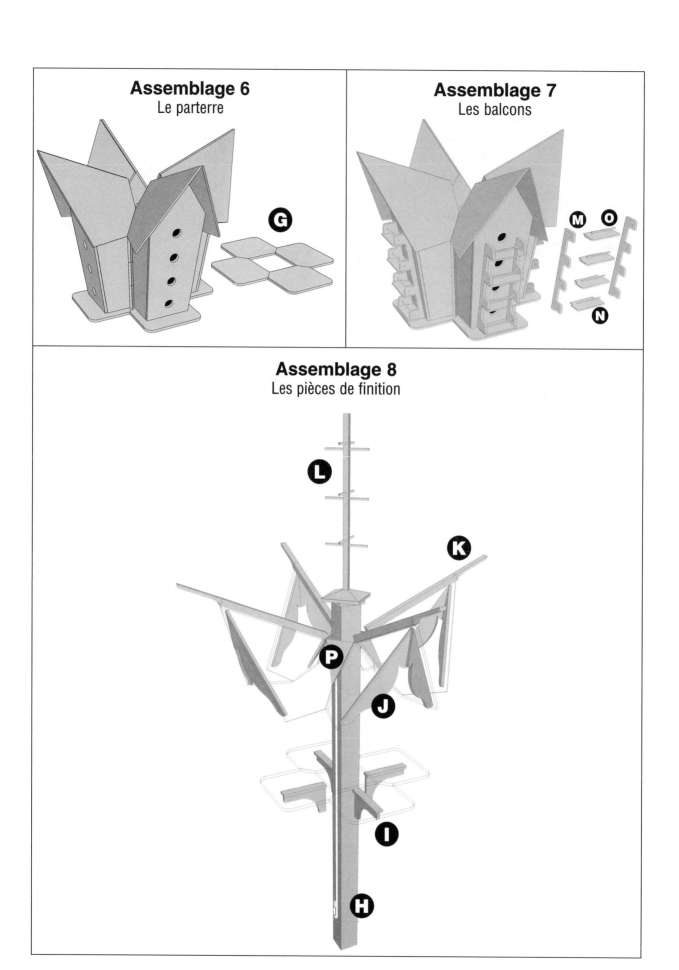

Assemblage 6
Le parterre

Assemblage 7
Les balcons

Assemblage 8
Les pièces de finition

CHAPITRE V

Des nichoirs pour d'autres espèces

LE MERLE D'AMÉRIQUE

Avec trois petites planchettes de 15 cm (6 po) de côté, vous pouvez construire le plus simple des nichoirs pour le merle d'Amérique. Depuis que nous observons les oiseaux, nous nous sommes aperçus que le merle d'Amérique n'est pas un nicheur en cavité comme les autres. Un toit au-dessus de sa tête et des murs de chaque côté sont suffisants pour le dissuader de s'enfermer dans un tel endroit. Même l'ouverture sur le devant ne semble pas lui plaire. Jamais nous ne l'avons vu nicher emprisonné de tous côtés.

Par contre, dès l'instant où nous avons installé la planchette telle qu'illustrée ci-contre, un merle y nichait.

Nous sommes convaincus que l'hirondelle rustique ou hirondelle des granges adoptera ce support si on le fixe aux chevrons de la grange. Le moucherolle phébi devrait l'imiter si on fixe la planchette sous un pont. Construire une cabane d'oiseaux peut parfois être fort simple !

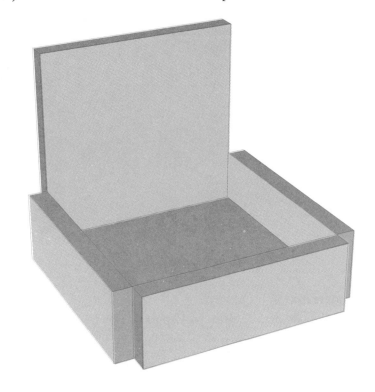

Le débitage

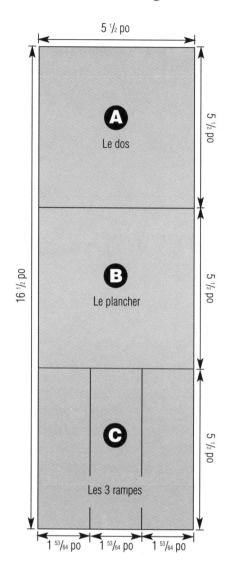

5 ½ po

5 ½ po

A

Le dos

5 ½ po

16 ½ po

B

Le plancher

5 ½ po

C

Les 3 rampes

1 ⁵³⁄₆₄ po   1 ⁵³⁄₆₄ po   1 ⁵³⁄₆₄ po

Assemblage du dos et du plancher
(avec 2 clous à la base)

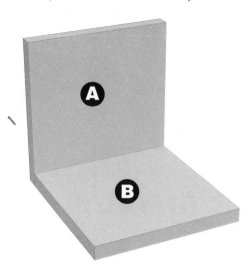

Assemblage des 3 rampes
(avec 2 clous à la base)

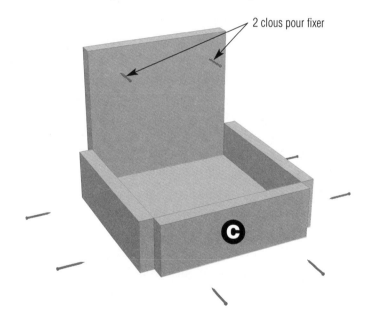

2 clous pour fixer

Matériaux
- 1 planche de 5 ½ po x 16 ½ po x ½ po
- clous

Outils
- scie
- marteau
- équerre

LE CANARD BRANCHU

Si vous avez la chance d'habiter au bord de l'eau à proximité d'un terrain en friche parfois inondé au printemps, vous pouvez avoir le bonheur d'héberger des canards branchus, qu'on appelait il n'y a pas si longtemps encore «canards huppés». En voyant ces oiseaux, vous comprendrez le sens du mot «beauté». Aucun autre oiseau d'Amérique du Nord ne peut rivaliser avec lui. Quand il courtise, son port est unique.

Offrez plusieurs nichoirs au canard branchu, car il magasine volontiers avant d'arrêter son choix. Accrochez dans le sous-bois deux, trois ou quatre nichoirs aux troncs d'arbres ou, de préférence, posez-les sur un poteau avec un parapluie métallique en dessous pour les protéger des ratons laveurs. Les nichoirs seront peints en brun, car cette couleur attire le canard branchu. Il s'imagine peut-être loger dans un vieux tronc évidé…

Les habitations que vous lui offrirez seront fabriquées à partir d'un cylindre en carton pour couler le ciment. Appliquez quelques couches de peinture à l'huile pour les imperméabiliser, et le tour est joué. Il ne vous reste plus qu'à attendre la belle visite !

Matériaux
- 1 cylindre de carton ou de métal de 2 pi de haut, 1 pi de diamètre et ⅛ po d'épaisseur
- 1 grillage métallique de 14 po x 37 po
- clous
- vis
- 1 planche
- 2 tendeurs de 1 pi

Outils
- ceux dont vous disposez

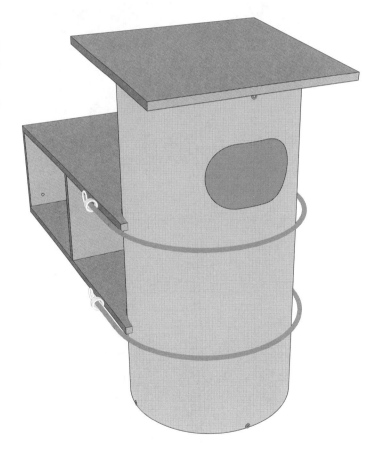

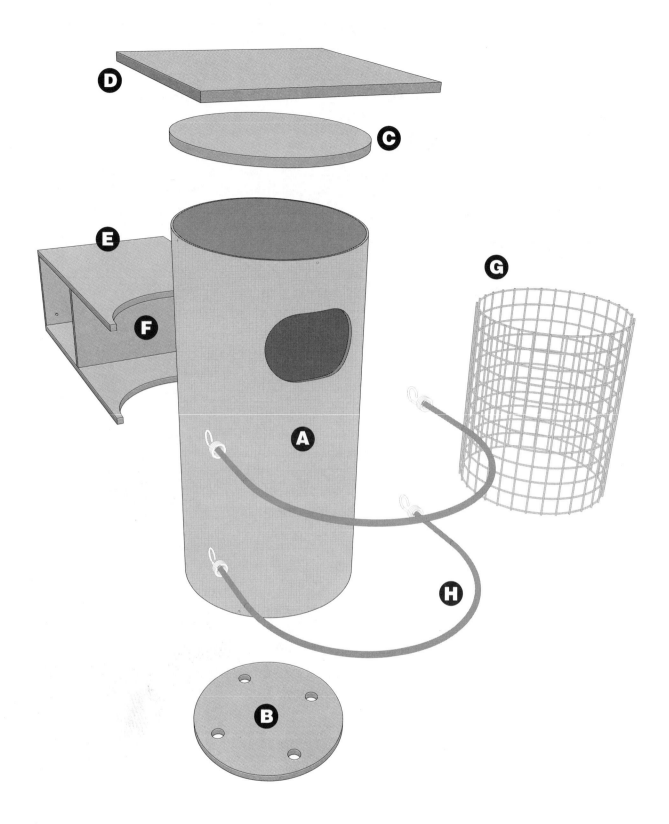

Le grillage

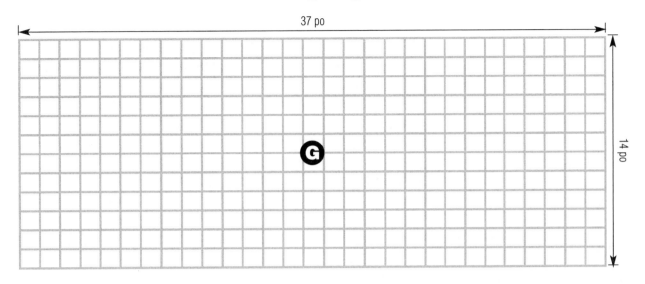

37 po

14 po

G

Le cylindre

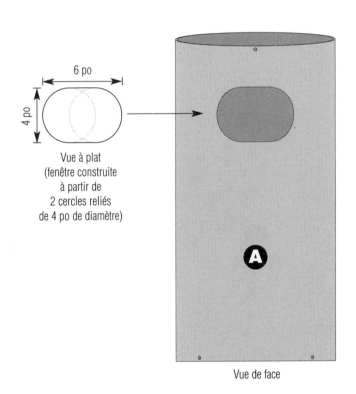

6 po

4 po

Vue à plat
(fenêtre construite
à partir de
2 cercles reliés
de 4 po de diamètre)

A

Vue de face

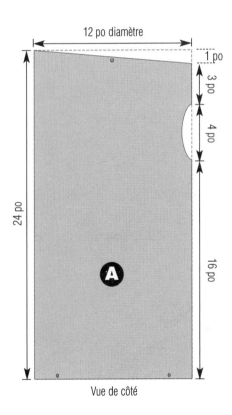

12 po diamètre

1 po

3 po

4 po

24 po

16 po

A

Vue de côté

Les supports

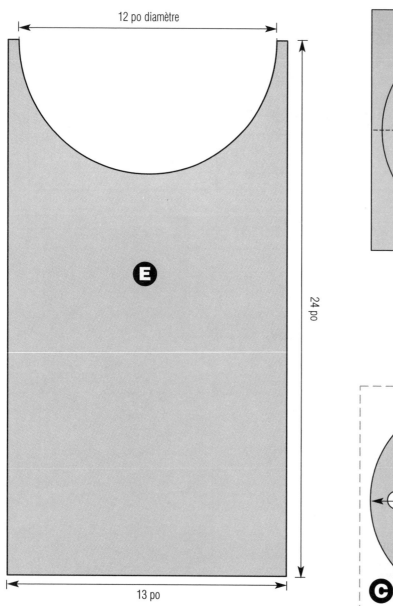

12 po diamètre

24 po

E

13 po

Le toit

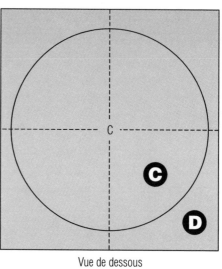

C

C

D

Vue de dessous

Le plancher

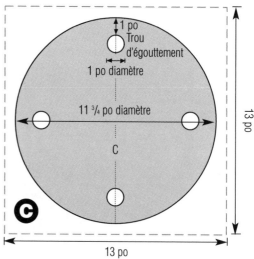

1 po
Trou
d'égouttement

1 po diamètre

11 ¾ po diamètre

13 po

C

C

13 po

Les cordons élastiques

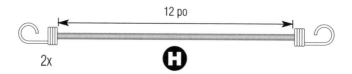

12 po

2x

H

Le grillage
(inséré)

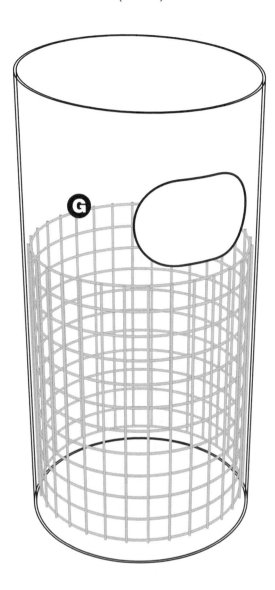

Le profil
(de gauche)

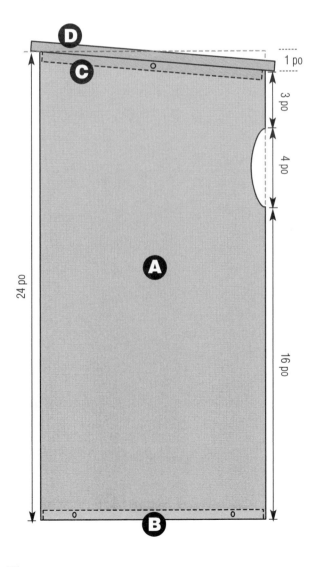

Assemblage 1

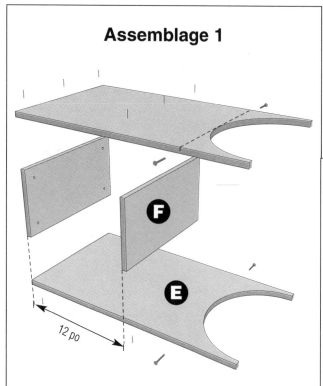

12 po

Assemblage 2

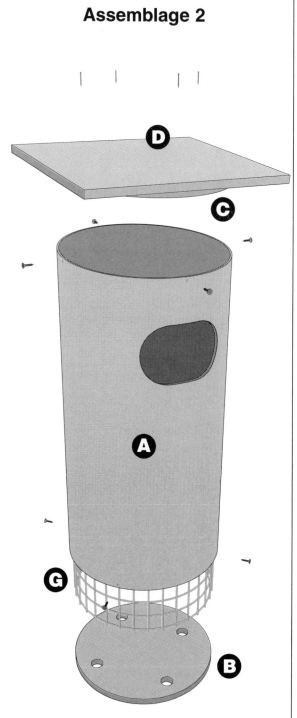

Cinq tourterelles s'abreuvant en hiver dans un bassin chauffé.

Le sizerin flammé, cet oiseau du Grand Nord, visiteur d'hiver, s'abreuve dans notre puits (plan p. 112).

Des chardonnerets jaunes en tenue hivernale s'abreuvant en hiver.

Le junco ardoisé, rarement vu à l'abreuvoir.

LE PIC MINEUR

Après un violent orage, ramassez un vieux tronc ou une grosse branche cassée ou vermoulue ayant déjà hébergé un pic. Cela constitue un superbe nichoir qui se marie très bien à l'atmosphère sylvestre. Ou bien, fabriquez-en un dans un morceau de bois, de préférence non écorcé.

LE MERLEBLEU

La bûche de Laurence Sawyer

Notre ami Laurence Sawyer (fils d'un célèbre naturaliste) avait hérité de son père ce plan de cabane pour merlebleus fabriquée à même une bûche non écorcée de 25 cm sur 30 cm (10 po x 12 po). C'est la cabane pour merlebleu la plus facile à construire et la plus esthétique. Mais pour la fabriquer, vous avez besoin d'une scie mécanique ou d'un banc de scie.

Matériaux
- 1 tronc de 1 pi de haut et de 10 po de diamètre (thuya d'Amérique ou autre bois mou)
- clous à finition de 4 po

Outils
- scie mécanique ou banc de scie

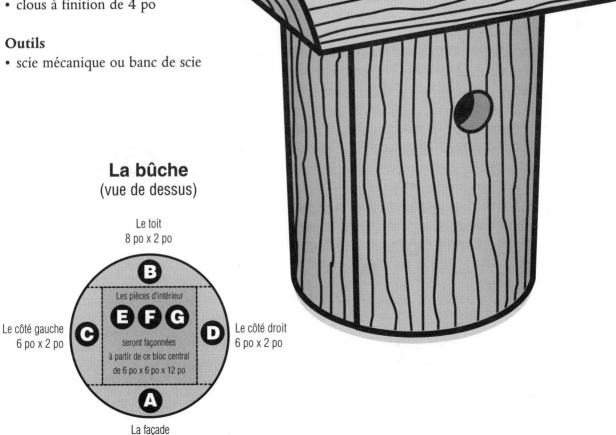

La bûche
(vue de dessus)

Le toit
8 po x 2 po

B

Les pièces d'intérieur

C Le côté gauche
6 po x 2 po

E F G

seront façonnées à partir de ce bloc central de 6 po x 6 po x 12 po

D Le côté droit
6 po x 2 po

A

La façade
8 po x 2 po

Le débitage

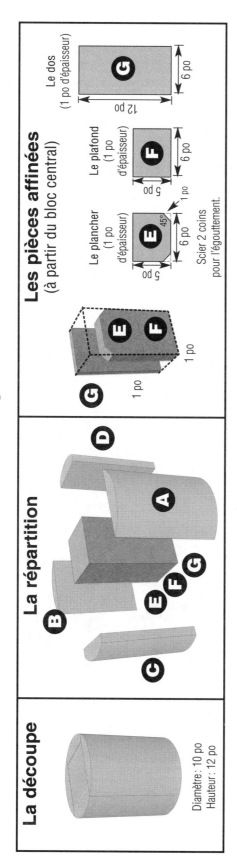

La découpe

Diamètre : 10 po
Hauteur : 12 po

La répartition

Les pièces affinées
(à partir du bloc central)

Le dos
(1 po d'épaisseur)

G

12 po

6 po

Le plafond
(1 po d'épaisseur)

F

5 po

6 po

Le plancher
(1 po d'épaisseur)

E

5 po

6 po

45°

1 po

Scier 2 coins
pour l'égouttement.

1 po

1 po

L'assemblage

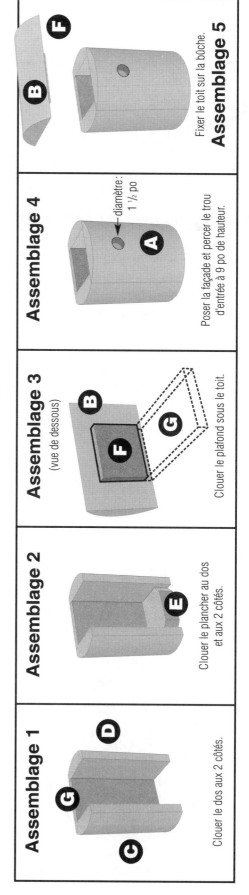

Assemblage 1

Clouer le dos aux 2 côtés.

Assemblage 2

Clouer le plancher au dos
et aux 2 côtés.

Assemblage 3
(vue de dessous)

Clouer le plafond sous le toit.

Assemblage 4

diamètre :
1 ½ po

Poser la façade et percer le trou
d'entrée à 9 po de hauteur.

Assemblage 5

Fixer le toit sur la bûche.

LE PIC FLAMBOYANT

Pour attirer les pics flamboyants, l'Américain A. J. Boersma a inventé le nichoir que nous vous présentons. Ce nichoir se présente comme un faux tronc d'arbre, muni d'une toiture inclinée. Rempli jusqu'à l'ouverture de bran de scie bien compact et mouillé, il attire le pic flamboyant qui s'imagine avoir trouvé le gros lot : un tronc vermoulu à souhait. Il s'empresse de l'excaver jusqu'à la profondeur désirée pour y nicher. Pourquoi ne pas l'essayer avec la bûche à Sawyer ?

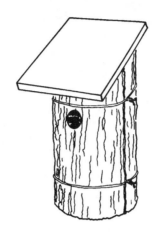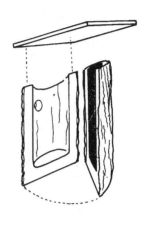

Matériaux
• bran de scie

Outils
• scie mécanique ou banc de scie

LE MARTINET RAMONEUR

Si les Bermudiens ont rescapé leurs pétrels grâce à des tunnels souterrains en ciment qui les protègent des pailles-en-queue, si l'on a sauvé les hirondelles noires en Amérique du Nord, si dans les États du Sud-Est américain l'on peut insérer dans des troncs de pins centenaires encore sains des nichoirs fabriqués de mains d'homme pour sauver le pic à face blanche, pourquoi ne pas tenter d'attirer les martinets ramoneurs menacés par la raréfaction des cheminées ? Vous pouvez les attirer en fabriquant une fausse cheminée à l'aide de vieux bois de grange ou de planches rugueuses. Vous en trouverez encore dans les moulins à scie artisanaux. Fixez-la à un hangar, un garage ou un bâtiment de ferme.

Matériaux
• 4 planches de 6 pi à 8 pi de haut et 1 pi de côté
• 1 planche pour le fond de 1 pi^2
• clous

Outils
• ceux dont vous disposez

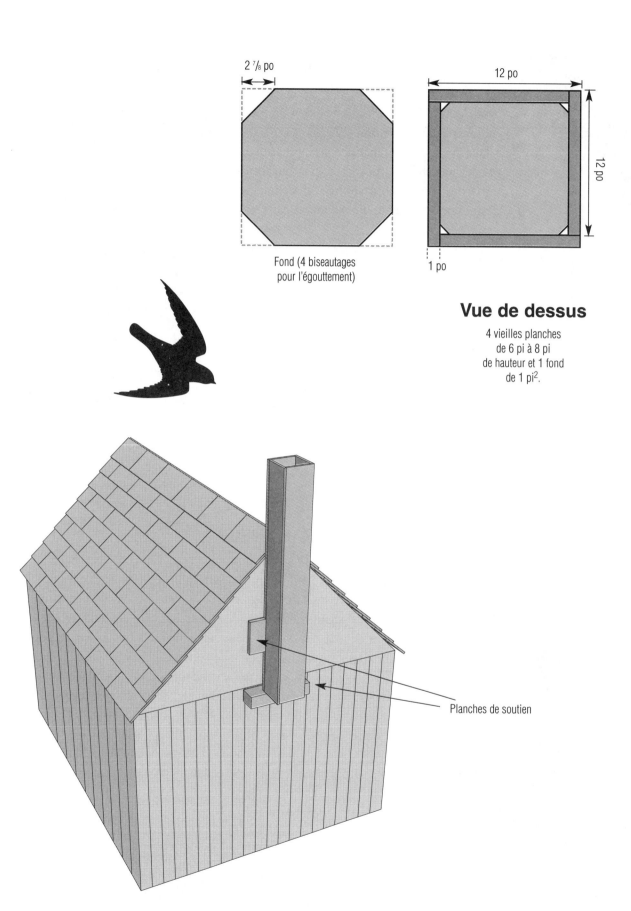

2 ⁷/₈ po

Fond (4 biseautages
pour l'égouttement)

12 po

12 po

1 po

Vue de dessus

4 vieilles planches
de 6 pi à 8 pi
de hauteur et 1 fond
de 1 pi².

Planches de soutien

Grange ou vieille remise

LA TOURTERELLE TRISTE

Le cône métallique

Y a-t-il, à proximité de votre maison, une grosse branche surplombant l'une de vos fenêtres? Si oui, vous pouvez y installer cette structure de treillis métallique en forme de cône. Vous devez insérer dans le grillage des branches minces et longues que les tourterelles viendront garnir pour y faire leur nid. Elles aiment bien coucher à la belle étoile et ne sont pas très exigeantes quant à la sécurité et à la durabilité de leur construction. Un nid de merle abandonné leur servira souvent de base.

Matériaux
- 1 treillis métallique avec des carreaux de ½ po

Outils
- les usuels ainsi qu'une pince pour éliminer tous les bouts de broches où l'oiseau pourrait se blesser

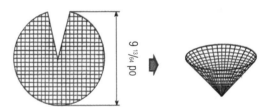

9 13/64 po

LA CHAUVE-SOURIS

Que diable vient faire ce mammifère dans un livre sur les oiseaux! Si la chauve-souris ne pond pas d'œufs, par contre elle vole et niche en cavité dans une cabane, comme beaucoup d'oiseaux. De plus, elle est insectivore et se met en chasse à la tombée du jour à une période où les moustiques sont particulièrement actifs alors que même les hirondelles pourprées se reposent.

Après avoir vu sur un terrain de golf des cabanes qui hébergeaient des chauves-souris et leurs petits, nous avons conçu un nichoir pour cet animal qui aime vivre dans une maison très chaude. Trente-trois degrés Celsius (90 °F) représente la température idéale, car ses petits sont quasiment nus jusqu'à leur maturité. Mais, en été, ils doivent rester à l'ombre et être à l'abri de la chaleur intense. Nous vous recommandons cette rotonde, parce que les chauves-souris pourront, grâce à la forme circulaire de ce refuge, tourner tout autour du tronc et choisir l'endroit le plus confortable selon la position du soleil. Si vous habitez près d'un cours d'eau, vous aurez plus de chances d'accueillir cette visiteuse, car ce mammifère est un grand mangeur de moustiques.

Comment on bâtit ce nichoir

On choisit un tronc d'arbre de quelque 6 po de diamètre à l'écorce très rugueuse. On l'entoure trois ou quatre fois avec du papier goudronné en prenant bien soin de laisser des espaces d'environ 2 cm (¾ po) entre chaque rang. Les ouvertures entre ces recouvrements seront situées en bas. Leurs parties supérieures se resserreront en haut.

À cet endroit on les scellera avec du goudron pour que, sous ce joint étanche, la résidence soit parfaitement imperméable. On recouvrera le tout d'un papier goudronné imperméabilisé. On pourra même la recouvrir d'un cône.

Ce nichoir un peu spécial se situera à une distance de quelque 3 m (10 pi) du sol et sera protégé contre les prédateurs à quatre pattes par un cône métallique inversé formant comme un parapluie.

Matériaux

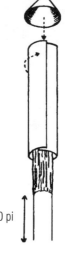

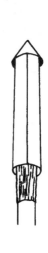

- 1 poteau métallique
- 1 tronc de 6 po de diamètre
- goudron
- papier goudronné
- 1 cône métallique (placé sous cet habitacle pour empêcher les animaux à quatre pattes d'y avoir accès, voir le parapluie, p. 79)
- clous

Outils

- ceux dont vous disposez

10 pi

CHAPITRE VI

Des systèmes de protection

Dans ce chapitre, nous vous donnons des conseils pour protéger, aider et sauver les oiseaux.

LE PARAPLUIE

Un poteau métallique auquel on a attaché un parapluie inversé offre une protection sûre contre les ratons laveurs et contre les écureuils. Il doit cependant être placé à la bonne hauteur, c'est-à-dire à au moins 1,5 m (5 pi) du sol et être assez distant de tout arbre ou buisson pour que l'intrus ne puisse l'atteindre par le biais d'un tremplin. Contre l'écureuil volant ou polatouche, aussi avide d'œufs, il n'existe aucune défense si des arbres situés à proximité lui permettent de planer jusqu'au nichoir. Comment fabriquer ce parapluie ? C'est simple : un à la fois, deux à la fois, trois à la fois.

Pour un parapluie, taillez un cercle dans un morceau de métal, fer blanc ou autre, et enlevez une pointe et un petit cercle au centre. Enroulez le morceau autour du poteau en le clouant dans le haut.

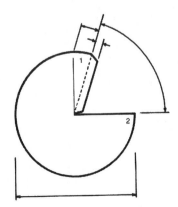

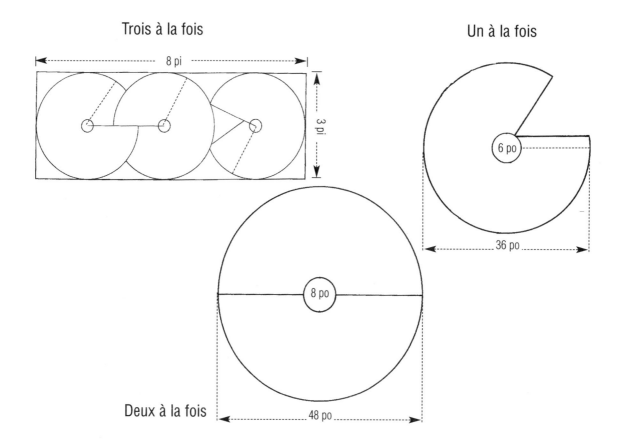

Trois à la fois

8 pi

3 pi

Un à la fois

6 po

36 po

Deux à la fois

8 po

48 po

LES CHARDONS ANTI-CHATS

On appelle couramment « chardons » les pointes de métal recourbées placées en haut des murs et des grilles pour empêcher le passage. Nous avons vu ce genre d'installation chez une dame de La Macaza, dans les Laurentides, qui s'en servait pour protéger ses nichoirs à merlebleus.

Dans du métal en feuilles ou dans un bout de tuyau, découpez des pointes et recourbez vers l'extérieur. Taillez les pointes avec des ciseaux à tôle. Une fois fixé, le dispositif doit avoir le même diamètre que le poteau de la mangeoire.

On peut aussi fabriquer les chardons anti-chats avec des boîtes de conserve ouvertes aux deux bouts.

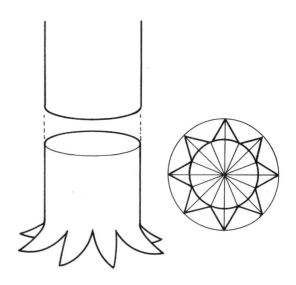

Matériaux
• 1 feuille de métal
• clous

Outil
• ciseau à tôle

LE CORRIDOR EN GRILLAGE

Pour faciliter la vie des hirondelles bicolores et des merle-bleus, et pour les protéger des ratons laveurs et des chats, on peut fabriquer avec un treillis robuste un corridor fixé solidement devant l'entrée du nichoir.

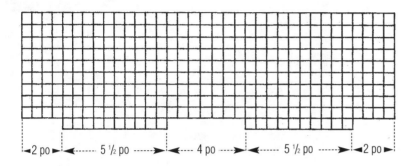

◄2 po► ◄---- 5 ½ po ----► ◄--- 4 po ---► ◄---- 5 ½ po ----► ◄2 po►

LE PIÈGE DE CHARLIE ELLIS

Ce piège fait des miracles. Nous avons rêvé d'un tel stratagème pendant des années… Un été, nous avons fait le voyage à Red Deer, en Alberta, pour y découvrir un secret détenu par un personnage légendaire dans ce coin de pays : Charlie Ellis.

Qui est Charlie Ellis ?

À la mort de ses parents qui s'étaient établis comme fermiers dans la petite ville de Lacombe, en Alberta, Charlie et sa sœur Winnie héritèrent de la ferme. Dans les années 1950, ils s'intéressaient déjà aux oiseaux. John Lane, qui lança l'idée de la piste du merlebleu — elle se ramifie sur plus de 3200 km (2000 milles) dans l'Ouest canadien —, leur apprit à ériger des nichoirs pour ces oiseaux. Dès 1970, la ferme de Charlie abritait la plus importante densité de merlebleus de montagne dans toute l'histoire de ce magnifique oiseau, petit cousin du merlebleu de l'est de l'Amérique et de celui de l'Ouest.

En 1984, l'Alberta honorait Charlie et Winnie de l'Ordre du Mouflon en reconnaissance de leur apport à la conservation de la faune dans leur province. Charlie Ellis avait décidé de faire la guerre aux moineaux et aux sansonnets. Il avait érigé ses pièges à différents endroits stratégiques de sa ferme. Il fit une découverte géniale. Il élabora un verveux : les poissons y entrent à l'horizontale, ils en trouvent facilement l'entrée, pas la sortie ! Avec les oiseaux, le verveux de Charlie fonctionne à la verticale.

Un seul impératif à respecter pour utiliser avec succès ce dispositif : être aux aguets afin de libérer l'oiseau indigène qui pourrait s'y glisser. Il faut donc le visiter soir et matin et aussi connaître un peu les oiseaux. Pour un non-initié, un bruant chanteur ou hudsonien ressemble quelque peu à la femelle du moineau. Or les bruants sont des oiseaux migrateurs protégés par la loi et, en plus, ils sont très utiles. Si l'un de ces oiseaux est pris au piège, libérez-le à l'aide d'un filet à long manche.

Pour que le piège fonctionne bien, il doit y avoir des pensionnaires à l'intérieur. Ce sont les instincts grégaires du moineau bien plus que la faim qui dictent sa conduite. Disposez cette trappe là où les moineaux pullulent. Pour commencer, nous vous conseillons d'adopter la stratégie suivante : appâtez les oiseaux en plaçant du pain autour du piège. Ils s'habitueront vite à venir en toute confiance. Disposez ensuite le pain sur la partie supérieure du piège en l'incorporant au grillage. Les oiseaux apprendront à s'y poser pour se nourrir. Enfin, placez-le à l'intérieur.

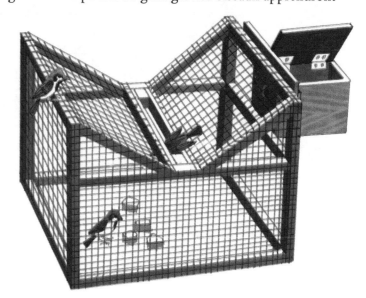

Vos premières captures se feront à un rythme espacé. Puis, quand vous aurez près d'une douzaine de pensionnaires, le système fonctionnera tout seul. Il vous restera à les nourrir et à les abreuver tous les jours. Chez nous, ce dispositif fonctionne à merveille. Dès que des nouveaux venus se manifestent, nos pensionnaires s'égosillent pour communiquer avec eux. Et la tribu s'enrichit.

Note : pour les moineaux, on ajuste l'ouverture à 3,75 cm (1 ½ po) et pour les sansonnets à 5 cm (2 po).

Le Charlie Ellis enrichi d'un dortoir

Nous avons trouvé un moyen pour disposer du surplus de pensionnaires. On incorpore un dortoir à la charpente grillagée. Il s'agit d'une boîte hermétique avec couvercle fixé sur des pentures. Une mince plaque métallique vissée à ce dortoir peut s'insérer dans une rainure de même métal attachée au piège. Deux trous qui coïncident permettent le passage du dortoir au piège.

Sous le toit de ce dortoir se trouve un grillage amovible. Quand la nuit vient, tous les pensionnaires se glissent dans le dortoir par l'ouverture ménagée dans le grillage du piège. Le dortoir est muni de multiples perchoirs. Une mince pièce métallique coulissante peut obstruer le passage vers l'intérieur du piège. On soulève le couvercle pour compter les oiseaux, on tape sur la paroi et on renvoie dans le piège les pensionnaires que l'on veut conserver, puis on obstrue de nouveau le passage. Ou bien on déporte les indésirables au diable vauvert. Tout est question de jugement et de conscience.

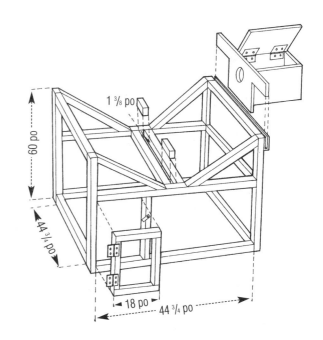

Cette boîte peut facilement s'enlever. On la plonge dans un bac rempli d'eau. Quelques minutes plus tard, elle est prête à fonctionner.

Ce dispositif est utile et extrêmement efficace au moment où nichent les autres oiseaux qui vivent auprès des habitations des hommes. C'est d'ailleurs l'époque où les moineaux sont les plus nuisibles, monopolisant tous les sites de nidification de la fin de mars jusqu'à la mi-août. Après cela, les garder en captivité devient une corvée. Il faut éviter qu'ils manquent de nourriture et surtout d'eau fraîche. On remise donc le tout jusqu'à la prochaine saison des nids.

LA PORTE-TRAPPE

Voici un moyen bien simple d'éloigner le moineau des nichoirs pour merlebleus ou hirondelles bicolores.

En étudiant le plan du classique pour merlebleu (voir p. 23), où loge aussi l'hirondelle bicolore, vous constatez que seuls deux clous servent de gonds pour ouvrir et fermer la porte. Une vis, dans le bas, sert à l'immobiliser. Nous vous suggérons de fabriquer une deuxième porte sur laquelle vous fixerez la trappe illustrée à la page suivante. Quand vous désirez éloigner l'intrus, installez cette porte interchangeable.

À l'installation, assurez-vous que la pièce métallique joue aisément sur sa vis afin qu'elle puisse tomber et s'arrêter sur la deuxième vis et ainsi bloquer l'entrée.

Matériaux
- 1 plaque métallique de 1 ½ po x 4 po x ³⁄₁₆ po. Y faire percer un trou dans le coin en haut à ¼ po des deux côtés.
- 2 vis de ½ po
- 2 œillets de ¼ po
- 1 cintre en métal

Outils
- tournevis
- pince

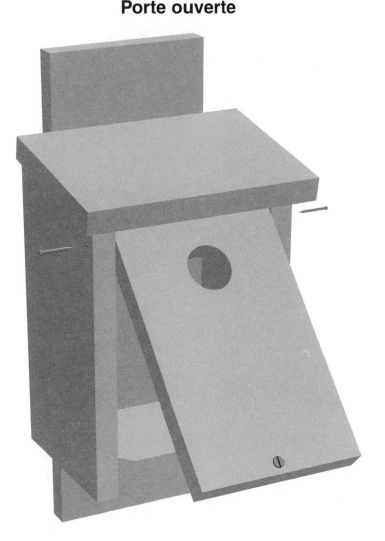

Porte ouverte

Perchoir basculant

(cintre tordu)

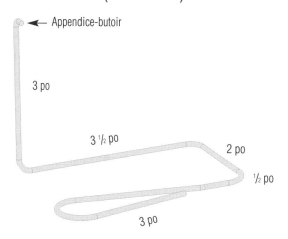

← Appendice-butoir

3 po

3 ½ po

2 po

½ po

3 po

Porte vue de l'intérieur

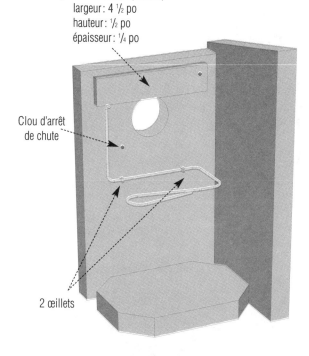

Plaque d'obstruction (mobile)
largeur : 4 ½ po
hauteur : ½ po
épaisseur : ¼ po

Clou d'arrêt
de chute

2 œillets

Position enclenchée

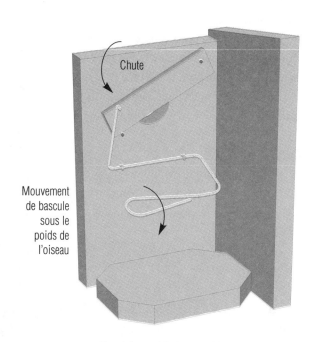

Chute

Mouvement
de bascule
sous le
poids de
l'oiseau

Position déclenchée

Que faire de l'oiseau ?

Fabriquez à l'aide d'une canette d'eau gazeuse ouverte aux deux bouts une sorte de tunnel et appliquez-le sur le trou, à l'extérieur de la porte. À l'autre extrémité, attachez, à l'aide d'un élastique, un sac en plastique transparent. Puis, libérez l'entrée en relevant la plaque métallique avec un petit bâton rigide. Le captif fonce alors vers la lumière. Il paraît qu'un oiseau privé ainsi de liberté pendant un certain laps de temps ne revient plus jamais à l'endroit du traquenard. À vous d'expérimenter !

Chapitre VII

Mangeoires, dortoirs et autres accessoires

LES MANGEOIRES

Offrir le gîte à vos amis les oiseaux, c'est bien mais insuffisant. Vos hôtes doivent aussi trouver à proximité de chez vous de quoi nourrir leur nichée. Il est donc très important de connaître l'alimentation qu'ils privilégient à l'époque de la nidification. Les moineaux et les sansonnets sont granivores, mais ils sont plutôt insectivores quand ils nourrissent leurs petits au bec tout tendre. Les hirondelles, qui se nourrissent en vol, sont essentiellement insectivores. Elles évoluent généralement au-dessus des nappes d'eau. Les merlebleus, insectivores au moment de la nidification, recherchent leur nourriture au sol dans les parcs, les pacages pour animaux et les terrains de golf, tous les endroits où l'herbe est rase et éparse. Les pics, les sittelles et les mésanges préfèrent les boisés un peu laissés à l'abandon. En installant des mangeoires et des baignoires, vous permettez à différentes espèces de fréquenter votre terrain tout en les sécurisant.

La faune a ses lois qui maintiennent l'équilibre écologique. Ce ne sont pas deux ou trois mangeoires qui le déstabiliseront. Les oiseaux nordiques comme le bruant hudsonien ou le sizerin ne seront jamais détournés de leur voie migratoire à cause d'un garde-manger trop généreux. Ils ont besoin de retrouver leur toundra pour y élever leurs petits. Les oiseaux qui migrent vers le Sud pourraient, par contre, modifier leur comportement, car, contrairement à la croyance populaire, c'est la pénurie de nourriture qui les chasse et non le froid. Certaines espèces migratrices comme les chardonnerets jaunes passent volontiers l'hiver là où l'approvisionnement leur semble assuré, à condition de trouver dans l'environnement des endroits pour se protéger des prédateurs. Pour les oiseaux, la sécurité prime sur la nourriture. Des haies denses, plusieurs conifères, un couvert végétal près du sol, et ils se laisseront tenter. Quant aux sédentaires, tels les mésanges, les sittelles, les pics et les geais, ils hivernent ici, mais de préférence à proximité d'une bonne table ! Des mangeoires bien garnies toute l'année multiplieront vos chances de les attirer et de les garder. Elles peuvent aussi séduire les oiseaux qui habituellement vivent sous des latitudes plus chaudes, tels les cardinaux rouges. On en voit d'ailleurs de plus en plus, et avec grand plaisir !

La mangeoire rapproche-oiseaux

C'est à France que vous devez cette trouvaille, car, dès notre installation à la campagne, elle m'a demandé d'installer une corde à linge en arrière de la maison, près des grands arbres. Nous avons alors remarqué que les oiseaux farouches comme les cardinaux rouges et les cardinaux à poitrine rose se réfugiaient dans la verdure quand nous nous mettions à la fenêtre. Pour attirer les oiseaux le plus près possible de la maison, nous avons eu l'idée de suspendre une mangeoire à la corde à linge.

Le système est fort simple. Nous avons installé la mangeoire de façon à pouvoir la déplacer facilement. Au début, nous l'avons placée le plus loin possible de la maison, près des arbres. Les oiseaux encore farouches sont venus timidement s'y alimenter. Puis, graduellement, nous avons rapproché la mangeoire de la maison jusqu'au jour où elle s'est trouvée près de la fenêtre. Pour faire fuir les écureuils qui circulent sur la corde, nous avons recouvert la corde de chaque côté de la mangeoire avec un mor-  ceau d'environ 90 cm (3 pi) de tuyau d'arrosage fendu dans le sens de la longueur. Les intrus dégringolent mais sans se blesser pour autant.

Nous rêvons à présent d'installer à l'intérieur de la maison une mangeoire qui ressemblerait à un aquarium dont un côté serait ouvert sur l'extérieur. Les vitres seraient recouvertes d'une pellicule autocollante qui masquerait l'intérieur de la maison et nous permettrait d'observer les oiseaux sans qu'ils nous voient. Nous installerions alors ce dispositif dans une fenêtre à guillotine et les oiseaux mangeraient ainsi avec nous dans la maison. La réalisation de cette maison est imminente !

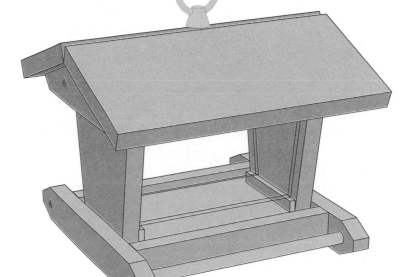

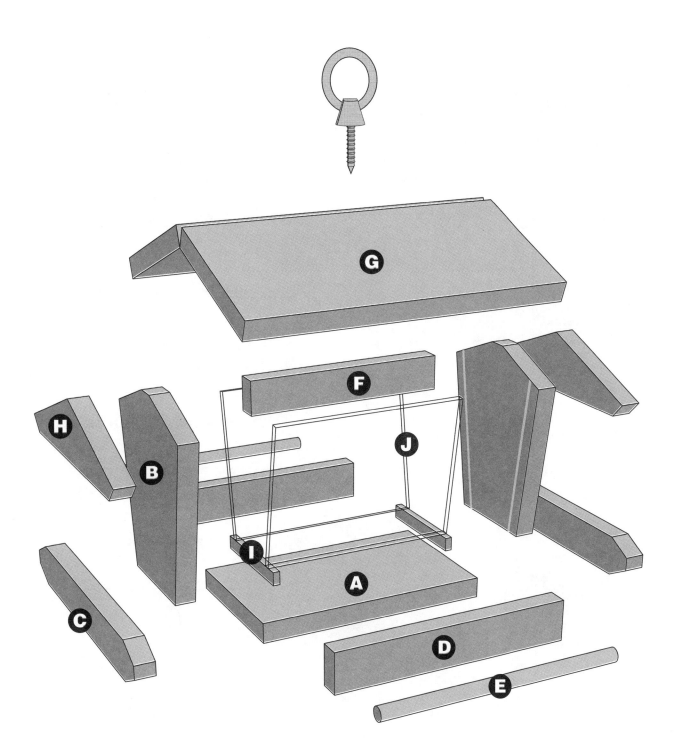

Matériaux

- 1 planche
- clous
- 1 feuille acrylique translucide de 8 po x 11 po x ⅛ po
- 1 anneau pour suspendre
- tuyau d'arrosage: 6 pi
- bois rond pour perchoir

Outils

- ceux dont vous disposez

Le toit

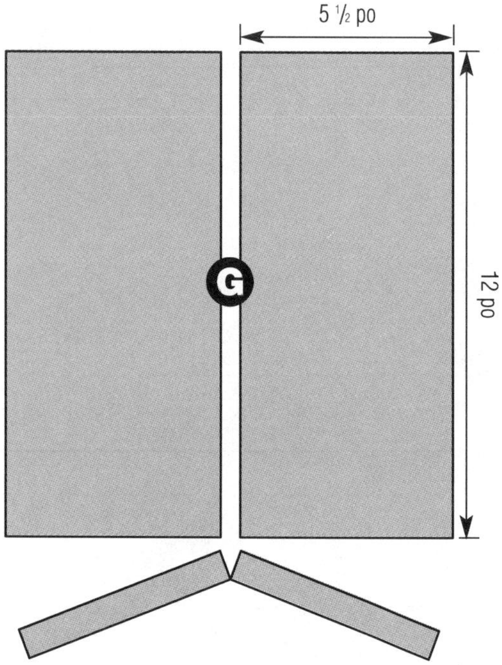

5 ½ po

12 po

G

Les parois en acrylique

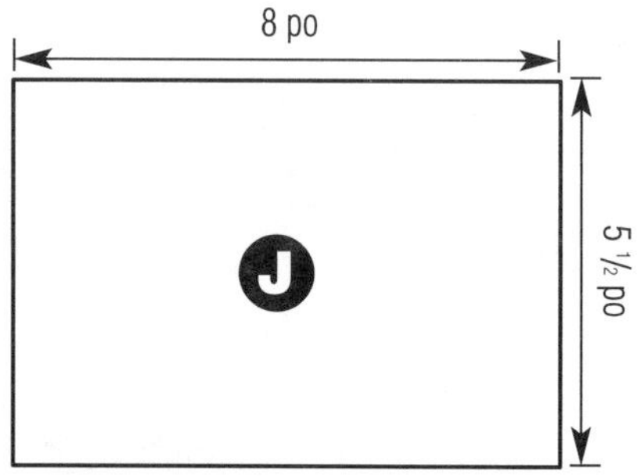

8 po

5 ½ po

J

Acrylique translucide de ⅛ po d'épaisseur

La base (les côtés)

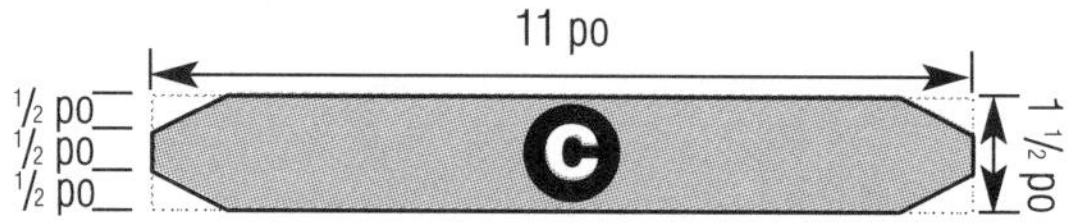

11 po

½ po
½ po
½ po

C

1 ½ po

La base (avant et arrière)

9 po

D

1 ½ po

Les côtés

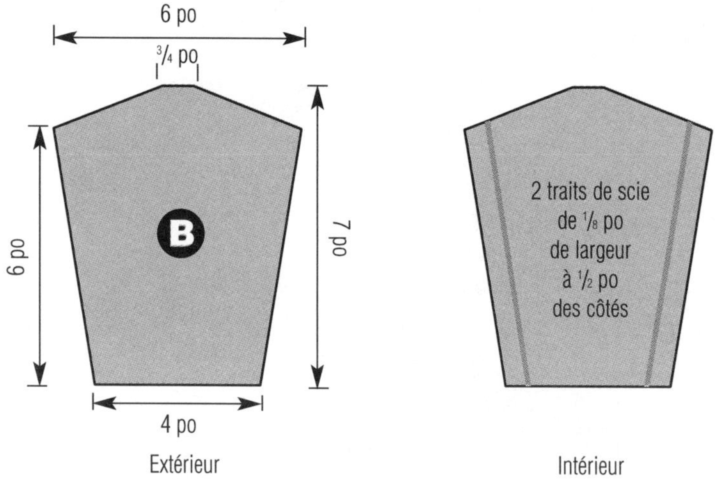

6 po

¾ po

6 po

7 po

B

4 po

Extérieur

2 traits de scie
de ⅛ po
de largeur
à ½ po
des côtés

Intérieur

Les perchoirs

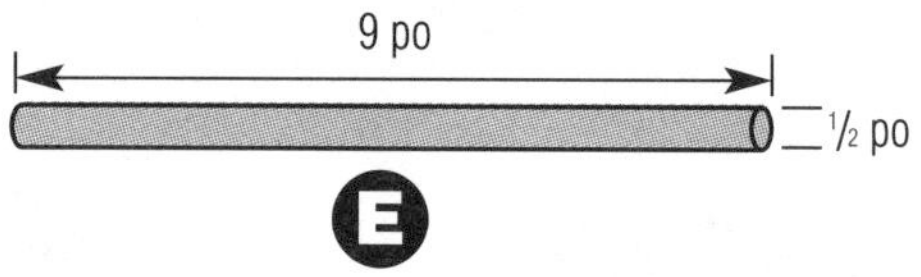

9 po

½ po

E

Les chevrons

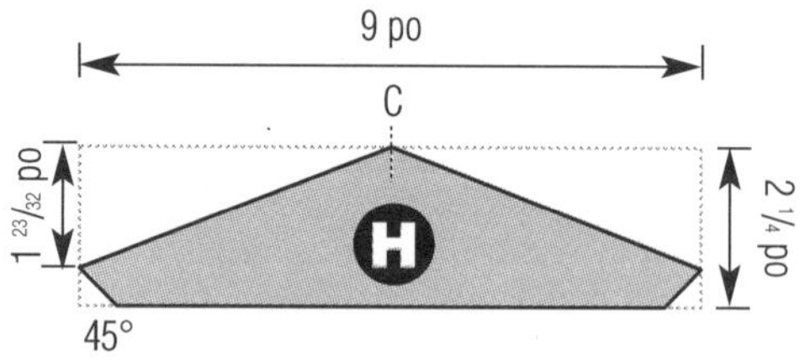

9 po

C

1 ²³⁄₃₂ po

2 ¼ po

H

45°

Le plancher

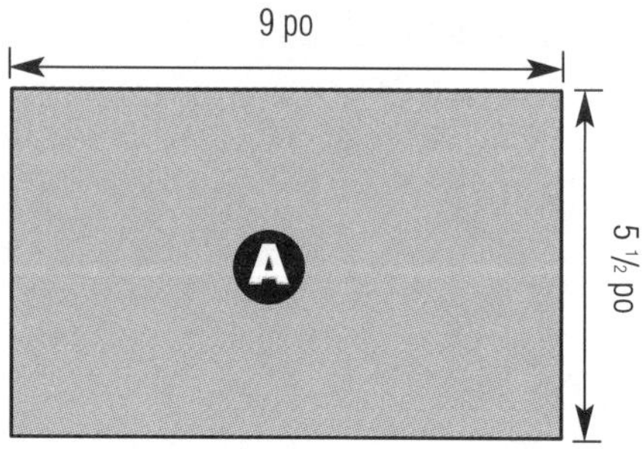

9 po

5 ½ po

A

Les blocs d'appui

2 po

I

½ po

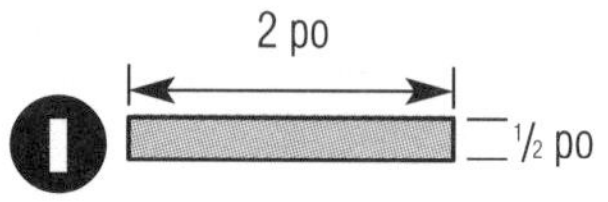

Bois de ¼ po d'épaisseur

La poutre transversale

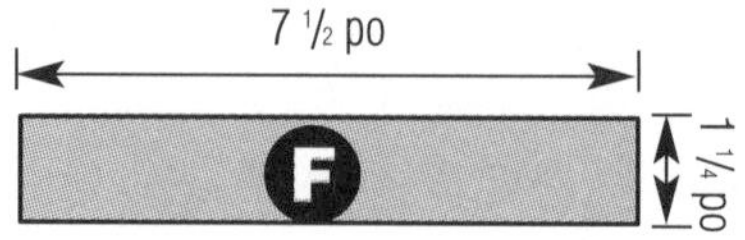

7 ½ po

F

1 ¼ po

Assemblage 1

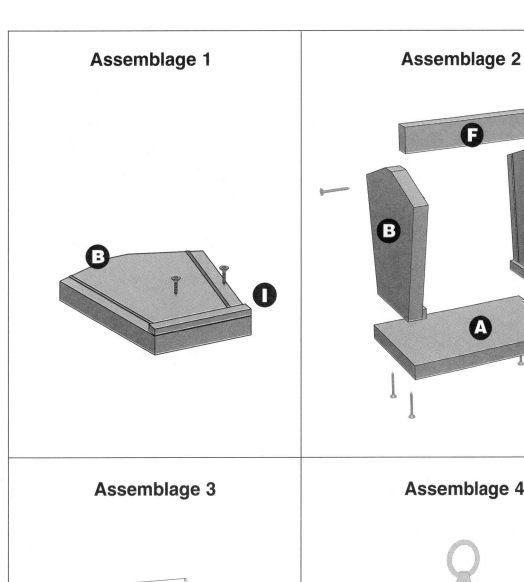

Assemblage 2

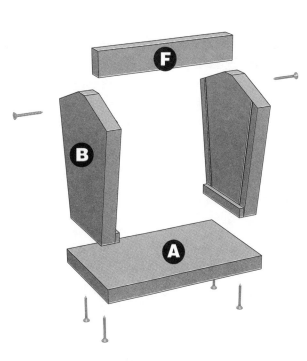

Assemblage 3

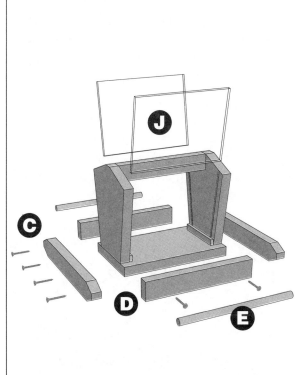

Assemblage 4

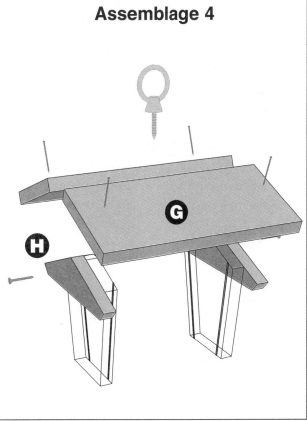

La mangeoire anti-écureuils Haas

Valentine Haas, un Autrichien établi à Val-David, nourrit les oiseaux depuis de nombreuses années. En ayant assez de voir les écureuils chasser les oiseaux de ses mangeoires, il a trouvé une façon ingénieuse de leur en interdire l'accès. Le devant du contenant fixé à un arbre est recouvert d'une feuille d'aluminium rigide qui dépasse de tous les côtés — d'une longueur égale à celle d'un écureuil. Le toit est recourbé vers l'avant. Impossible pour l'écureuil d'atteindre l'entrée.

Matériel
- 1 feuille d'aluminium rigide
- vis

Outils
- Ceux dont vous disposez

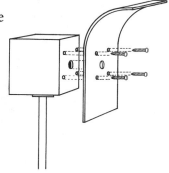

La mangeoire anti-geais bleus

Réussir à attirer des oiseaux dépend souvent d'un peu d'imagination créatrice. Un hiver, une douzaine de couples de geais bleus, peut-être plus, envahirent notre jardin. Querelleurs et batailleurs, leurs criaillements désagréables peuplaient les lieux. En outre, les geais bleus accaparaient toutes les mangeoires. Nous avons décidé de faire de la place aux autres oiseaux grâce à deux contenants en mousse de styrène, quatre poteaux de 20 cm (8 po) et du grillage à poules !

Dans le fond de la mangeoire, nous avons placé un vase peu profond rempli de graines de tournesol. Nous avons percé un trou dans le contenant qui sert de toit pour le remplissage. Ce contenant ne doit pas être plus gros qu'une assiette de pot à fleurs.

Comme les geais bleus qui tournent tout autour sont incapables d'attraper la nourriture, nous leur avons installé des épis de maïs. Les oiseaux plus petits ont maintenant l'accès exclusif à cette mangeoire grillagée.

Matériaux
- 1 poteau
- grillage à poules
- 2 contenants en mousse de styrène
- vis, clous ou colle selon votre choix

Outils
- ceux dont vous disposez

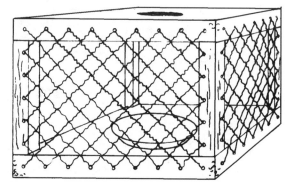

La mangeoire gloutonne

Le plus gros défaut des mangeoires est leur exiguïté. Si vous devez vous absenter pour plusieurs jours, à peine aurez-vous quitté les lieux qu'une nuée de vagabonds — sizerins, tarins, roselins ou gros-becs errants — videront vos réserves.

Vos fidèles habitués — sittelles, chardonnerets jaunes et mésanges — découvriront, à la fin du jour, leur garde-manger vide. Ils devront passer la nuit aux alentours, le ventre vide et aux premières lueurs du jour, changer d'auberge! Espérons qu'ils sortiront indemnes de ce déménagement. Mais si cela se reproduit régulièrement, vous perdrez vos visiteurs attitrés.

Pour les amateurs qui voyagent beaucoup, nous avons conçu cette mangeoire qui contient presque la totalité d'un sac de 20 kilos (44 lb) de graines de tournesol. Dans cette mangeoire à débit contrôlé, la nourriture s'échappe sous les parois latérales en acrylique et se répand dans le plateau en dessous. Le toit sert également de contenant. On y place du grain mélangé pour varier le menu et la clientèle. Un seul impératif: cette mangeoire doit être placée assez loin de toute branche qui permettrait aux écureuils d'y accéder. Si des polatouches, communément appelés écureuils volants, habitent le voisinage, vous aurez des habitués à plein temps, la nuit.

Pour protéger l'installation de tous les grimpeurs à quatre pattes, installez un parapluie métallique sur le poteau (Voir p. 79).

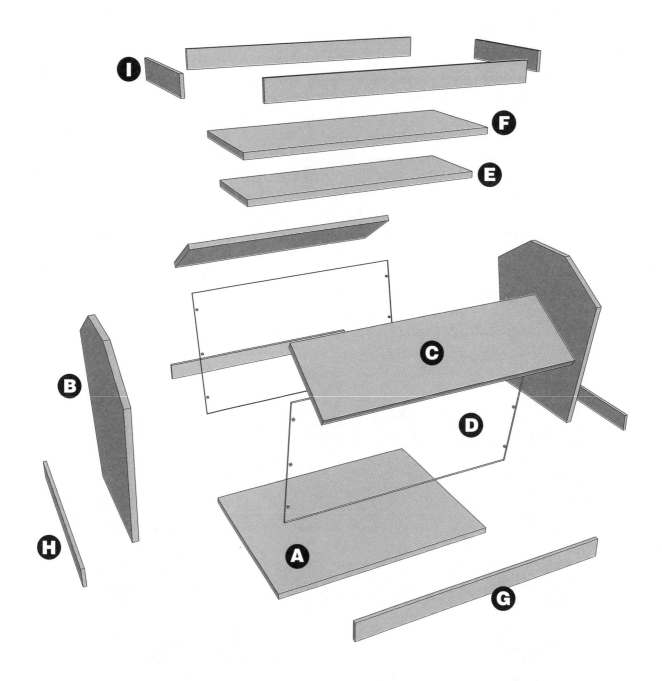

Matériaux

- 1 feuille de contreplaqué de 20 po x 41 po x ½ po
  1 feuille de contreplaqué de 15 po x 29 po x ½ po
- lisières de contreplaqué de ¼ po d'épaisseur
- 1 feuille en acrylique translucide de 20 po x 22 po x ⅛
  po
- clous

Outils

- ceux dont vous disposez

Débitage 1

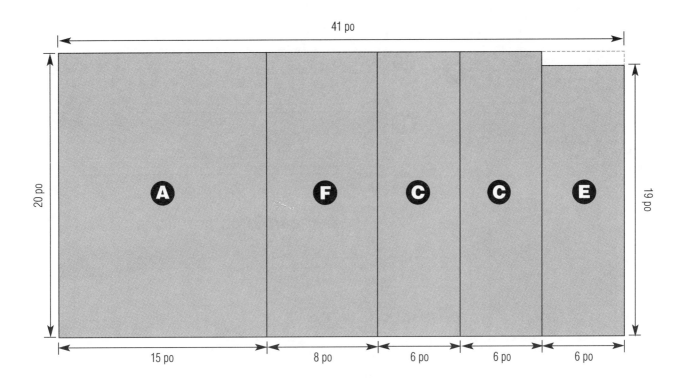

Débitage 2

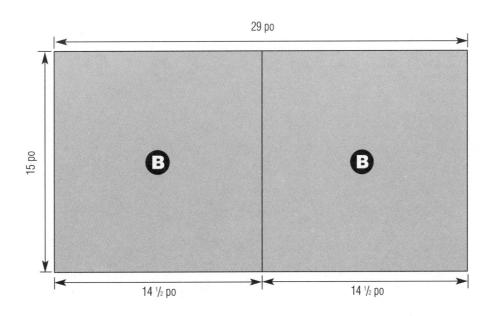

Le toit-plateau

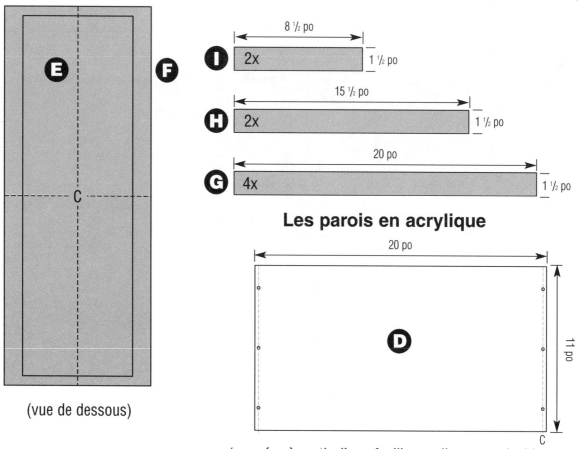

E **F**

C

(vue de dessous)

Les rampes
(coupées à partir de lisières de contreplaqué de ¼ po d'épaisseur)

8 ½ po

I 2x 1 ½ po

15 ½ po

H 2x 1 ½ po

20 po

G 4x 1 ½ po

Les parois en acrylique

20 po

D 11 po

C

(coupées à partir d'une feuille acrylique translucide
de ⅛ po d'épaisseur de 20 po x 22 po)

Les côtés

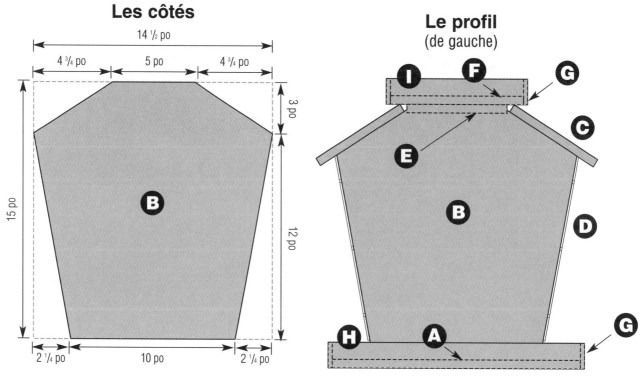

14 ½ po

4 ¾ po 5 po 4 ¾ po

3 po

B

15 po 12 po

2 ¼ po 10 po 2 ¼ po

Le profil
(de gauche)

I **F** **G**

E **C**

B

D

H **A** **G**

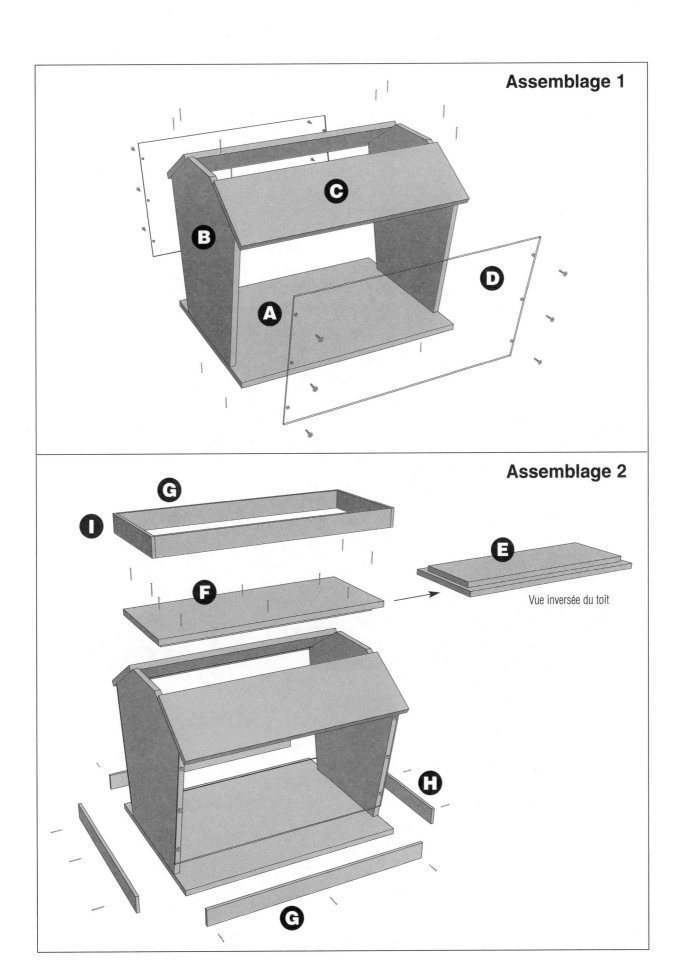

Assemblage 1

C

B

D

A

Assemblage 2

G

I

E

F

Vue inversée du toit

H

G

Le parthénon

Nous rêvions d'une mangeoire d'oiseaux très esthétique qui mériterait de trôner dans les plus beaux jardins du monde, mais aussi efficace pour repousser les intrus. Nous voulions allier beauté et efficacité. En été, nos mangeoires subissaient les incursions sauvages des sansonnets nouvellement sortis du nid et des agressifs bébés quiscales, et l'automne ramenait inévitablement tous les geais bleus de passage et les gros-becs errants. Nous avons donc décidé de conserver nos postes d'alimentation pour nos invités : mésanges, sittelles, chardonnerets jaunes, et oiseaux de petite taille. C'est ainsi que nous avons conçu le parthénon, réplique miniature du temple grec.

Ce mini-théâtre autorise l'entrée des petits, mais interdit l'accès à tous les malotrus et les indésirables. Les colonnes de cette construction astucieuse laissent juste assez de place pour les petits oiseaux. Ils sont les seuls à pouvoir atteindre la mangeoire en plastique translucide remplie de graines de tournesol noires placée à l'intérieur. Les plus gros doivent poireauter à l'extérieur.

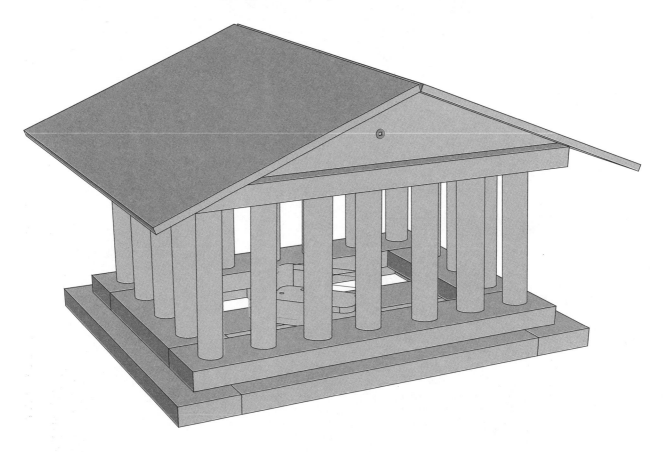

Matériaux
- 1 planche de contreplaqué de 2 pi x 4 pi x ½ po
- 1 planche de contreplaqué de 16 po x 21 po x ¼ po
- 1 grillage
- colle
- clous
- 3 bâtons ronds de 4 pi x 1 po de diamètre
- tuyau
- disque de fixation

Outils
- ceux dont vous disposez
- fusil à joint ou à colle

Seuls les oiseaux de petite taille peuvent pénétrer entre les colonnades de cette mangeoire (plan p. 96).

À la mangeoire alimentée d'écales d'œufs.
1. Une femelle hirondelle noire vient chercher le calcaire si nécessaire à la production de ses œufs.
2. Un mâle adulte mal accueilli. 3. Trois mâles : deux adultes de couleur noire et un jeune de la couleur
de la femelle se disputent ses faveurs. 4. Seul un mâle adulte procréera.

Après la pluie, dans la flaque d'eau, des hirondelles à front blanc recueillent des boulettes de boue qui serviront à confectionner leurs nids.

Le puits d'hiver sous la neige (plan p. 112-113).

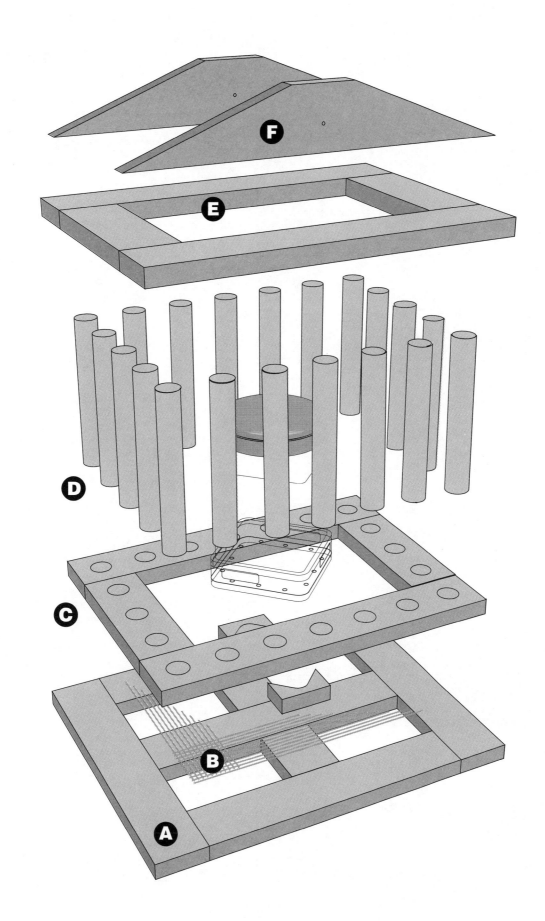

Le plancher

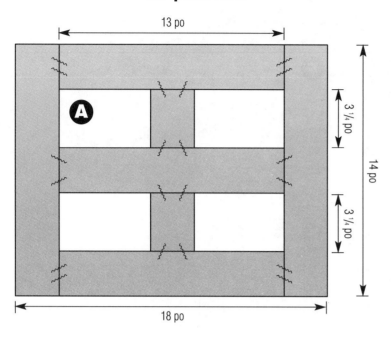

13 po

A

3 ¼ po

3 ¼ po

14 po

18 po

La colonne

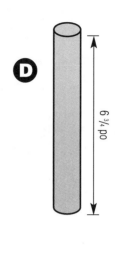

D

6 ¾ po

Le grillage

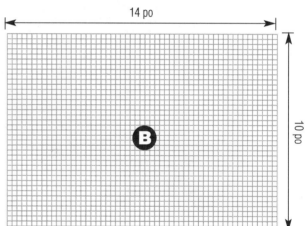

14 po

B

10 po

Le socle

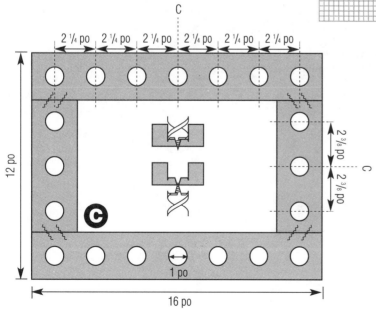

C

2 ¼ po 2 ¼ po 2 ¼ po 2 ¼ po 2 ¼ po 2 ¼ po

2 ³⁄₈ po

2 ³⁄₈ po

c

12 po

C

1 po

16 po

L'architrave

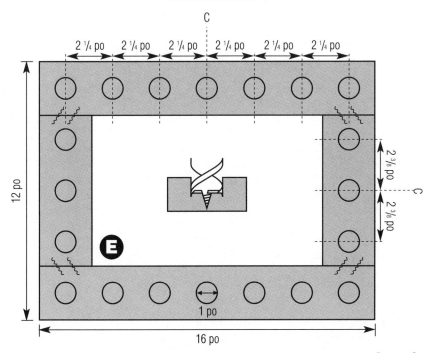

2 ¼ po   2 ¼ po   2 ¼ po   2 ¼ po   2 ¼ po   2 ¼ po

12 po

2 ³/₈ po
2 ³/₈ po

E

1 po

16 po

C

Le chevron
(4x : 2 pour le toit, 2 pour l'entretoit)

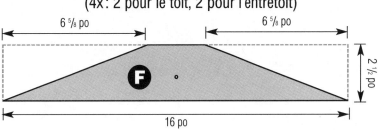

6 ⁵/₈ po   6 ⁵/₈ po

2 ½ po

F

16 po

Le toit

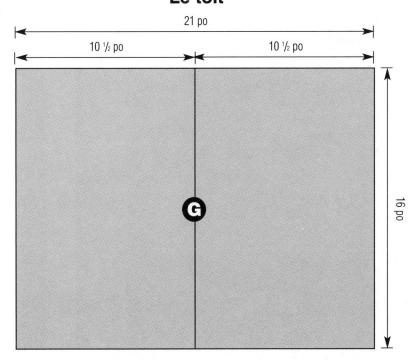

21 po

10 ½ po   10 ½ po

16 po

G

Assemblage 1

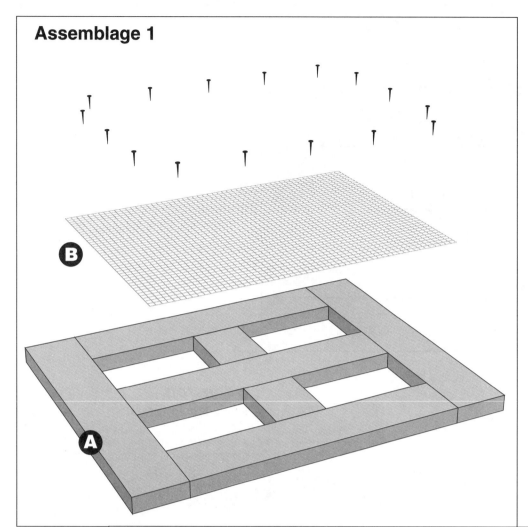

Assemblage 2

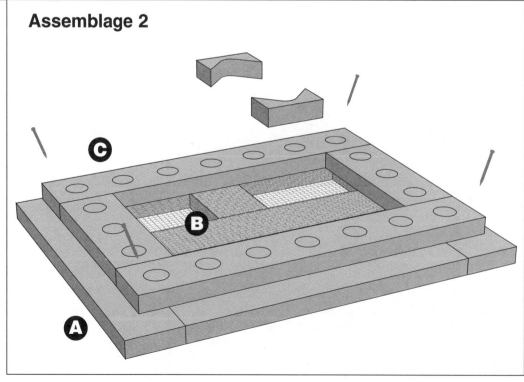

Assemblage 3

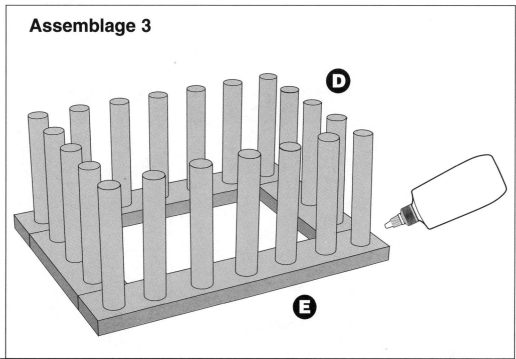

Assemblage 4

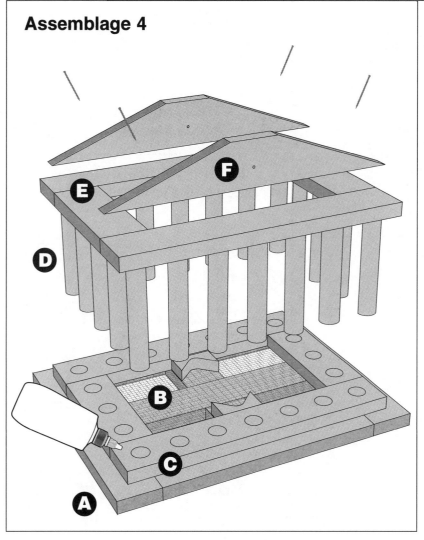

Assemblage 5

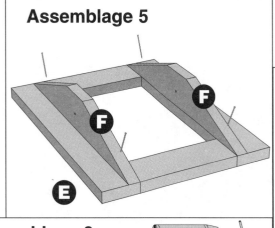

F

F

E

Assemblage 6

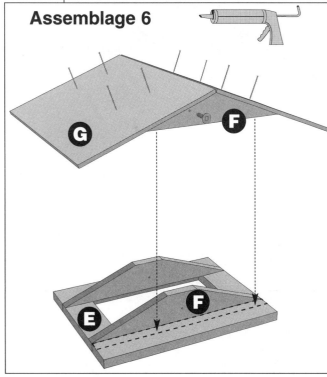

G

F

E

F

Assemblage 7

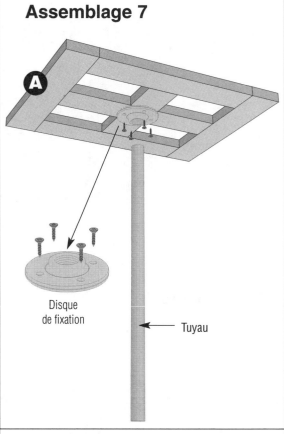

A

Disque
de fixation

Tuyau

La mangeoire intégrée
(fabriquée à partir d'un contenant en plastique)

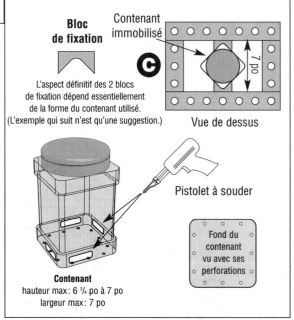

**Bloc
de fixation**

L'aspect définitif des 2 blocs
de fixation dépend essentiellement
de la forme du contenant utilisé.
(L'exemple qui suit n'est qu'une suggestion.)

Contenant
immobilisé

C

7 po

Vue de dessus

Pistolet à souder

Contenant
hauteur max : 6 ¾ po à 7 po
largeur max : 7 po

Fond du
contenant
vu avec ses
perforations

LES DORTOIRS

Le dortoir pour nicheur en cavité

Au cours de nos voyages en Amérique du Nord, nous avons vu de nombreux grands arbres aux troncs soigneusement émondés, débarrassés de leurs branches mortes, aux cavités obturées par du ciment ou du goudron. C'est un exemple évident de déséquilibre écologique. Chaque couple de pics a besoin d'au moins quatre cavités sur son territoire pour y mener à bien sa nichée. Voici le récit d'une expérience vécue par un industriel allemand. Voulant sauver sa plantation de chênes d'une invasion de chenilles, il accrocha un nichoir à chacun de ses arbres et sauva sa forêt. Toutes les autres forêts des alentours furent dévastées.

Nous n'abattons jamais un arbre mort sur notre terrain. Nous le débarrassons seulement des branches qui pourraient se révéler dangereuses et nous y fixons un dortoir. Nous en avons adopté un qui a l'apparence d'une branche coupée près du tronc et qui semble avoir été évidée naturellement. Un seul impératif : l'entrée, de forme assez particulière, doit être située tout en haut pour empêcher la patte d'un prédateur d'attraper l'occupant. Nous avons conçu cette ouverture après avoir observé celle creusée par le pic chevelu et certaines hirondelles à front blanc. Ce dortoir est fabriqué en dosse de cèdre, matériau quasi imputrescible que l'on trouve encore dans les moulins à scie artisanaux. La pointe du bas de ce dortoir est remplie de copeaux de bois.

Allez jeter un coup d'œil à notre sanctuaire d'oiseaux à Saint-Placide près de l'église. Les nicheurs en cavité fréquentent toujours les dortoirs que nous y avons installés.

Matériaux
- 1 planche avec écorce (dosse de cèdre) de 9 po x 62 po x ½ po
- clous

Outils
- scie (l'ouverture peut être pratiquée avec une perceuse d'abord et une scie à découper pour le reste.)
- marteau

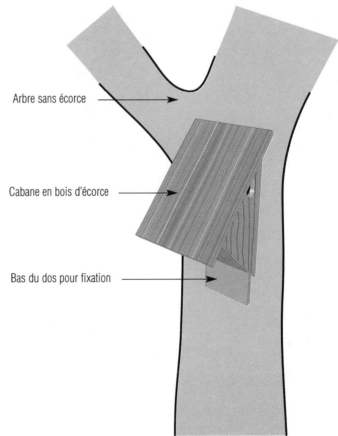

Arbre sans écorce

Cabane en bois d'écorce

Bas du dos pour fixation

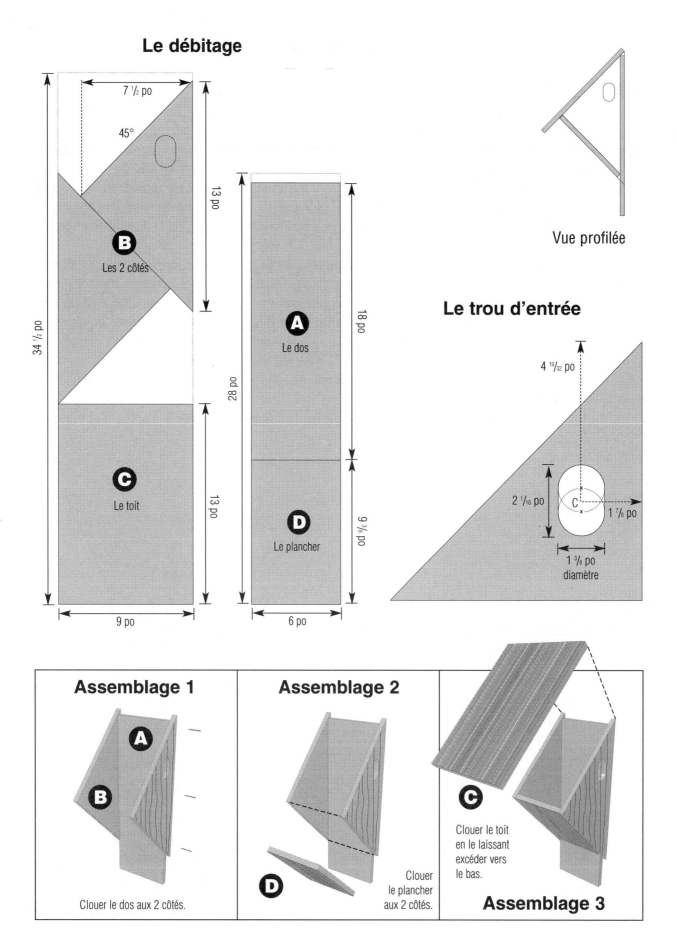

Le débitage

7 ½ po

45°

13 po

B
Les 2 côtés

34 ½ po

C
Le toit

13 po

9 po

A
Le dos

18 po

28 po

D
Le plancher

9 ⅜ po

6 po

Vue profilée

Le trou d'entrée

4 ¹⁹⁄₃₂ po

2 ¹⁄₁₆ po

C

1 ⅞ po

1 ⅜ po
diamètre

Assemblage 1

A

B

Clouer le dos aux 2 côtés.

Assemblage 2

D

Clouer
le plancher
aux 2 côtés.

Assemblage 3

C

Clouer le toit
en le laissant
excéder vers
le bas.

Le dortoir signé «France»

Si votre terrain est délimité par une haie de cèdres[3] impénétrable et qu'une bande de mésanges fréquente vos mangeoires, ne cherchez pas leur refuge cet hiver. C'est là qu'elles hivernent à moins qu'une petite nyctale ou qu'un petit duc ne viennent leur ravir leur retraite. Nous avons connu ce plaisir dans notre sanctuaire. Mais, chaque année, une autre bande de mésanges jette aussi son dévolu sur le dortoir inventé par France. Elles s'y introduisent à la nuit tombante n'en ressortant qu'aux premières lueurs du jour. Elles sont les premières aux mangeoires, avant les sittelles et les geais bleus. Ce dortoir, il est vrai, est une véritable petite auberge pour oiseaux. France avait suggéré de lambrisser les murs intérieurs avec de l'isolant: pas le moindre petit interstice par lequel le vent et le froid peuvent pénétrer! L'entrée fait face au sud, et le dortoir est abrité par le tronc de l'arbre immense auquel il est accroché.

Comme pour tout nichoir, il faut veiller à ce que les écureuils, les tamias, les polatouches (écureuils volants), les souris des bois ou même les guêpes n'y trouvent refuge. L'entrée est située près du plancher. La chaleur montant vers le haut, les oiseaux s'y réfugient, tassés les uns contre les autres.

Matériaux
- 1 feuille de contreplaqué de 14 po x 40 po x ½ po
- baguette de bois ou de bambou de ⅜ po de diamètre
- clous

Outils
- ceux dont vous disposez

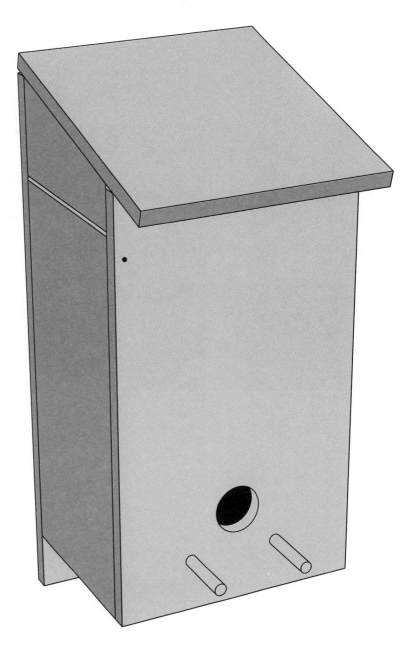

---

3. Thuya d'Amérique.

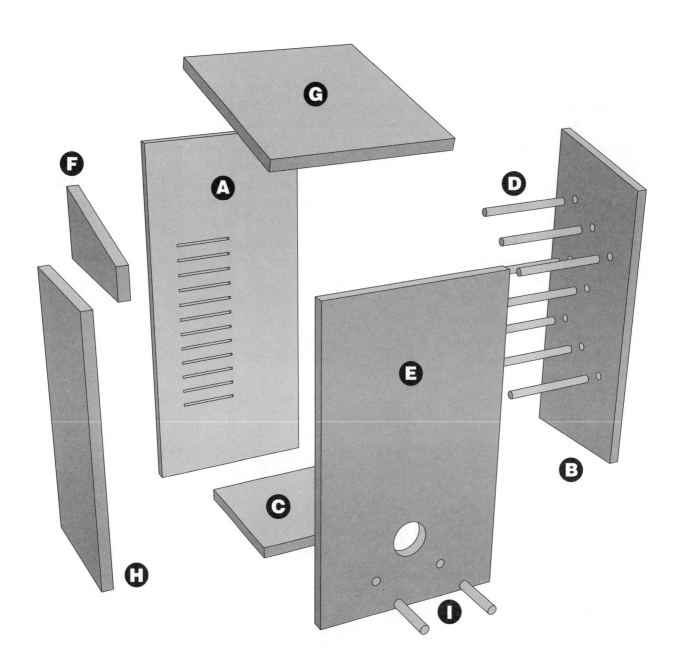

Débitage

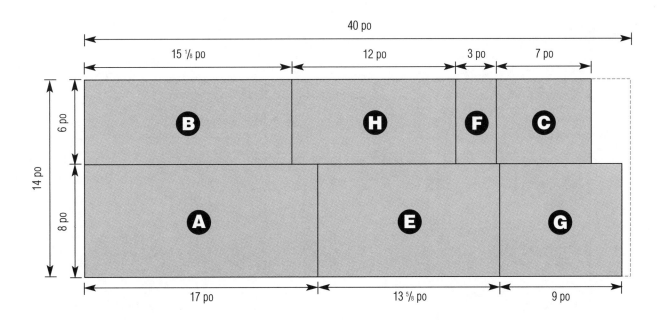

Le dos

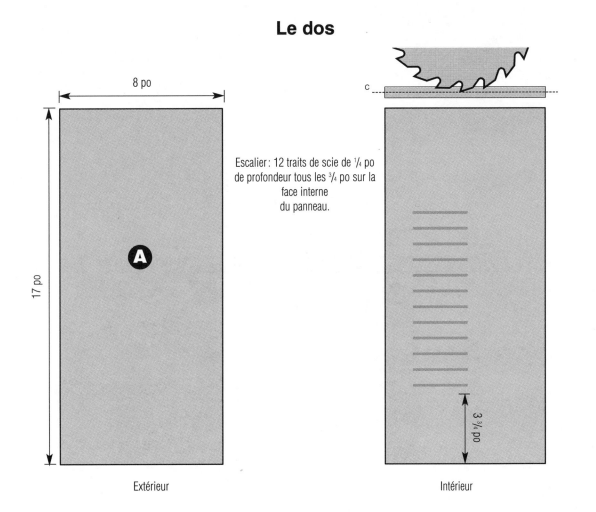

Escalier : 12 traits de scie de ¹/₄ po de profondeur tous les ³/₄ po sur la face interne du panneau.

Extérieur

Intérieur

Le côté troué

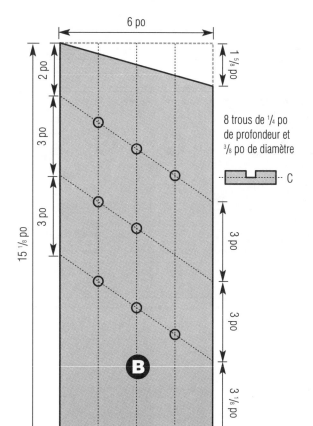

6 po

1 ⁵/₈ po

2 po

3 po

3 po

15 ¹/₈ po

3 po

3 po

3 ¹/₈ po

8 trous de ¹/₄ po
de profondeur et
³/₈ po de diamètre

C

B

1 ¹/₂ po   C   1 ¹/₂ po

La façade

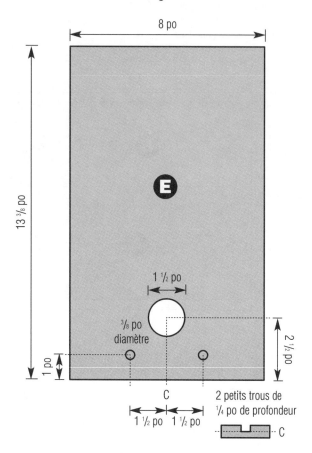

8 po

13 ³/₈ po

E

1 ¹/₂ po

³/₈ po
diamètre

1 po

2 ¹/₂ po

C

1 ¹/₂ po   1 ¹/₂ po

2 petits trous de
¹/₄ po de profondeur

C

Les perchoirs

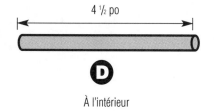

4 ¹/₂ po

D

À l'intérieur

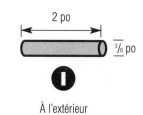

2 po

³/₈ po

I

À l'extérieur

Le profil
(de gauche)

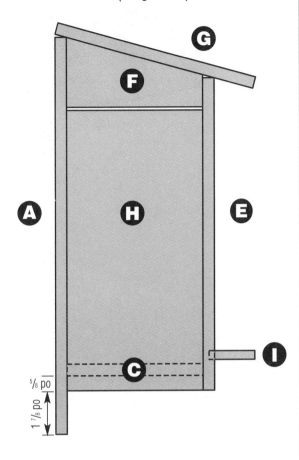

G

F

A

H

E

C

I

5/8 po

1 7/8 po

Le plancher

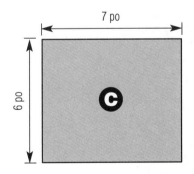

7 po

6 po

C

Le côté angulaire

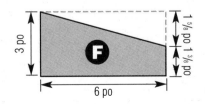

3 po

1 5/8 po
1 3/8 po

F

6 po

Assemblage 1

A

D

B

C

Assemblage 2

G

F

E

H

I

Le dortoir d'hiver pour tourterelle

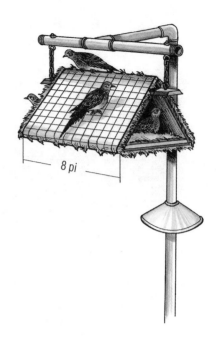

Rien de mieux que ce dortoir pour abriter les tourterelles tristes par les froides nuits d'hiver. On construit un habitacle à pignons ouvert aux deux extrémités et on le recouvre de paille enveloppée de treillis. On remplit de paille l'intérieur de cet abri ou bien on enfourne une brassée de paille non tassée dans un tuyau de poêle que vous accrocherez à l'horizontale avec du fil de fer à une branche d'arbre. Le *nec plus ultra*: ajoutez un coude à chaque extrémité du tuyau, l'un qui pointe vers le haut et l'autre vers le bas pour éviter au prédateur d'entrer. Vous pouvez le peindre pour l'embellir. Si vous placez ce dortoir dans un conifère, le vert foncé est conseillé.

AUTRES ACCESSOIRES

La baignoire et sa minicascade

À la belle saison, les oiseaux vont chercher l'eau où il y en a. Ce petit bassin installé dans votre cour créera pour eux une oasis de rêve.

UNE BAIGNOIRE FACILE À FABRIQUER AVEC MINICASCADE

Pour fabriquer la baignoire, utilisez le couvercle de votre poubelle. Placez tout autour, à l'intérieur, une bande de carton épais que vous fixez avec du papier adhésif (dessin n° 1). Placez au fond un sac de polythène (sac poubelle). Placez des petits cailloux de 2,5 cm (1 po) de diamètre, puis recouvrez avec du treillis métallique de 0,6 cm (¼ po) (dessin n° 2). Préparez du ciment assez consistant et appliquez-le à la truelle à l'intérieur, selon l'épaisseur désirée (dessin n° 3). Laissez sécher lentement en recouvrant le tout d'un vieux morceau d'étoffe humide. Démoulez (dessin n° 4).

Placez la baignoire sur un tuyau d'égout de 20 à 25 cm (8 à 10 po) de diamètre, à la hauteur désirée. Installez à la verticale un tuyau d'arrosage muni d'un embout permettant de contrôler le débit d'eau; on réglera cet embout de façon que l'eau s'égoutte goutte à goutte toutes les trois ou quatre secondes. Les oiseaux aiment le bruit cristallin de la goutte d'eau qui entre en contact avec la nappe liquide. Cette baignoire peu profonde attirera vite tous les oiseaux du coin. Placez-la à l'ombre, car ils aiment l'eau fraîche durant les chaudes journées de l'été. Évitez de placer ce dispositif trop près d'un buisson, car un chat pourrait s'y dissimuler.

Une suggestion: fabriquez-en trois et disposez-les en escalier (dessin n° 5) formant ainsi une mini-cascade.

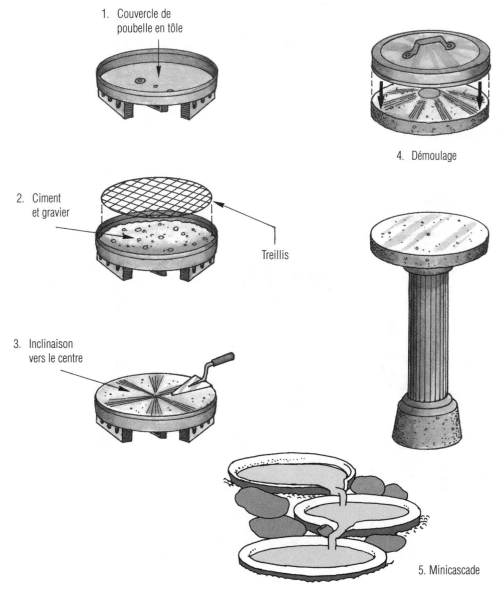

1. Couvercle de poubelle en tôle

2. Ciment et gravier

Treillis

3. Inclinaison vers le centre

4. Démoulage

5. Minicascade

Le bac à sable

Non loin de la baignoire mais en plein soleil, placez un bac à sable. Les oiseaux aiment autant s'ébrouer dans le sable que dans l'eau. Pas nécessaire d'avoir un parc pour enfant. Huit à neuf centimètres (3 ou 4 po) de sable dans une boîte de 2 pi de côté feront l'affaire.

1. Contreplaqué
24 po x 24 po

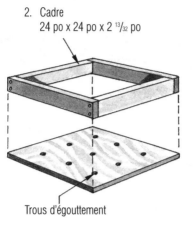

2. Cadre
24 po x 24 po x 2 $^{13}/_{32}$ po

Trous d'égouttement

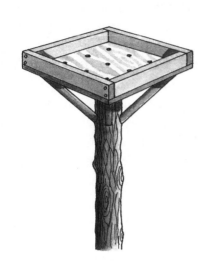

Le puits d'hiver

Par temps chaud, l'eau est une bénédiction pour les oiseaux. Mais s'ils en manquent en hiver, c'est une question de vie ou de mort. Nous n'oublierons jamais cette fin du mois de janvier où pas un centimètre de neige ne recouvrait le sol. Il faisait un froid de canard. Presque tous les cours d'eau étaient gelés et nous regardions, désemparés, les pics marteler avec leur bec les plaques de glace qui recouvraient les branches d'arbres. En souvenir de cet hiver glacial, nous avons décidé de laisser un héritage à nos amis les oiseaux.

Nous avons cherché un chauffe-eau efficace pour la froide saison. Nous avons essayé divers dispositifs conçus aux États-Unis : avec une puissance de 40 watts, le B-9 de la société Farm Innovators n'a pas résisté à nos gels polaires. Le Blue Devil de Nelson Manufacturing devait garder quatre litres d'eau à environ

7 °C grâce à sa puissance de 200 watts ; or tout le bassin gelait sauf sur les bords et, s'il neigeait, toute la surface était ensevelie et devenait inaccessible.

Un ami bricoleur, Réjean Gingras, nous a suggéré d'utiliser simplement des fils chauffants identiques à ceux qu'on installe dans les gouttières pour empêcher la formation de glace. Nous avons disposé en spirale 5,5 m (18 pi) de fil électrique sur une surface d'environ 0,6 m (2 pi) de diamètre. Les cercles étaient distants d'environ 1,25 cm (½ po) et tenaient en place grâce à du fil de fer. Nous avons installé ce dispositif dans un contenant peu profond — un couvercle de poubelle —, dans lequel nous avons versé du ciment[4]. Puis nous avons déposé cet abreuvoir dans un demi-baril surmonté d'une toiture à pignons pour empêcher la neige de s'accumuler. Doté d'une puissance de 105 watts, notre chauffe-eau donne de l'eau accessible à nos oiseaux tout l'hiver.

---

4. Il existe un produit qui, mélangé au ciment, permet de faire pénétrer des bulles d'air. Celles-ci l'empêchent de craqueler par grand froid.

Avant de terminer ce livre, j'aimerais vous léguer un peu de l'héritage de mes souvenirs, encouragé par France qui m'en a fait la suggestion.

Quand j'étais très jeune, ma mère, à la demande instante de mes frères, mes sœurs et moi, se mettait au piano après sa dure journée de labeur et jouait jusqu'à nous endormir *Garden of Dreams* (Le jardin des rêves), *Evening Chimes* (Les cloches du soir) et *Pensées célestes*. Je m'en souviens comme si c'était hier. Cette musique me manque infiniment.

Un soir, ma compagne a placé sur la galerie extérieure recouverte d'un toit le walkie-talkie qu'elle utilisait dans la chambre des petits quand elle les mettait au lit pour savoir si tout se passait normalement. Elle l'avait placé vent de dos pour que le vent n'affecte pas les sons. Le lendemain matin, nous avons déjeuné avec les chants des oiseaux qui se disputaient la nourriture aux mangeoires. J'ai revécu les *Pensées célestes* de ma mère.

Conversions métriques

Pouce (po)	1/64	1/32	1/25	1/16	1/8	1/4	3/8	2/5	1/2	5/8	3/4	7/8	1	2	3	4	5	6	7	8	9	10	11	12	36	39,4
Millimètres (mm)	0,40	0,79	1	1,59	3,18	6,35	9,53	10	12,7	15,9	19,1	22,2	25,4	50,8	76,2	101,6	127	152	178	203	229	254	279	305	914	1000
Centimètres (cm)							0,95	1	1,27	1,59	1,91	2,22	2,54	5,08	7,62	10,16	12,7	15,2	17,8	20,3	22,9	25,4	27,9	30,5	91,4	100
Mètres (m)																								0,30	0,91	1,00

Table des matières

Cet ouvrage a été achevé d'imprimer
en mars 2001.